Oscar nuovi misteri

GW00393014

Dello stesso autore

nella collezione Oscar

Messaggi dai maestri
Molte vite, molti maestri
Oltre le porte del tempo
Lo specchio del tempo

nella collana Ingrandimenti

Molte vite, un'anima sola

BRIAN WEISS

OLTRE LE PORTE DEL TEMPO

Rivivere le vite passate per guarire la vita presente

Introduzione di Raymond A. Moody

Traduzione di Paolo Lorenzin

OSCAR MONDADORI

© 1992 by Brian L. Weiss, M.D.
Titolo originale dell'opera: *Through Time into Healing*
© 1998 Arnoldo Mondadori Editore S.p.A., Milano

I edizione Ingrandimenti ottobre 1998
I edizione Oscar nuovi misteri ottobre 1999

ISBN 978-88-04-47176-9

Questo volume è stato stampato
presso Mondadori Printing S.p.A.
Stabilimento NSM - Cles (TN)
Stampato in Italia. Printed in Italy

Ristampe:

13 14 15 16 17 18 19 20 21

2008 2009 2010 2011 2012 2013

www.librimondadori.it

Indice

Oltre le porte del tempo

A Carole, Jordan e Amy,
la mia famiglia.
Vi amo con tutto il cuore
e vi amerò per sempre.

Introduzione

Negli ultimi vent'anni, nella società occidentale è gradualmente avvenuta una vera rivoluzione nella coscienza quasi senza che ce ne rendessimo conto. Oggi c'è un'intera generazione di giovani che ha sentito parlare spesso e ha letto di esperienze di «premorte», di regressione alle esistenze precedenti, di viaggi extracorporei, di apparizioni di persone decedute e di molti altri notevoli fenomeni legati alla vita spirituale. Ho spesso il piacere e la fortuna di tenere lezioni di fronte a adolescenti e ogni volta mi stupisco quando li sento parlare con calma e naturalezza delle loro visioni e dei loro viaggi in altri mondi.

Nel 1975, quando si diffuse un certo interesse per le esperienze di premorte, alcuni pensarono che fosse una moda passeggera: ora, però, inizio a convincermi che si tratti di fatti certi nella nostra cultura. A mio avviso stiamo diventando (se non siamo già diventati) una delle tante società storiche nelle quali la capacità degli esseri umani di avere visioni viene accettata come un dato di fatto. Sempre più spesso persone comuni raccontano le loro visioni e si scambiano informazioni e consigli sulle varie tecniche per indurne o facilitarne la comparsa.

Alcune sorprendenti novità sono emerse dalle ricerche di studiosi come Brian Weiss, William Roll, Ken Ring, Bruce Greyson, Melvin Morse e di molti medici e psicologi che operano negli Stati Uniti, in Europa e in altri paesi. Sono abbastanza fiducioso nel fatto che nei prossimi anni questo tipo di ricerche procederà e che anche persone psicologicamente normali potranno avere con facilità queste esperienze profonde, che possono anche essere definite «psichiche» ma che sarebbe meglio caratterizzare come «spirituali». Per esempio, lo scorso anno ho messo a punto con alcuni colleghi una tecnica attraverso la quale adulti del tutto normali, e senza alcun problema psichico, in uno stato di totale consapevolezza, erano in grado di visualizzare persone care defunte, in tre dimensioni, a colori e nelle loro reali proporzioni. Inoltre, con mia grande sorpresa, i soggetti che si sottoponevano a questi esperimenti – tutti professionisti seri e stimati – insistevano sul fatto che i loro incontri erano stati assolutamente «reali». Infatti ognuno di loro era certo di avere visto e di essersi trovato in presenza dei parenti o degli amici deceduti.

Io stesso ho avuto un'esperienza simile: ero seduto in compagnia di mia nonna, che è morta qualche anno fa, e chiacchieravo con lei come facevo sempre quando era ancora in vita. In effetti la cosa più straordinaria di questo incontro era la sua assoluta normalità, il fatto che non avesse nulla di sinistro né di sconvolgente.

Ciò che sta succedendo, credo, è che in tutto il mondo, collettivamente, ci stiamo aprendo a quegli stati alterati di coscienza ben noti ai nostri antenati nell'antichità, ma poi messi al bando in una certa fase di sviluppo della nostra civiltà e considerati frutto di superstizione o addirittura ispirati dal demonio. A mio avviso invece lo sviluppo di una nuova coscienza può portare grandi benefici all'umanità. Václav Havel, scrittore e presidente della Cecoslovacchia, in un toccante discorso tenuto davanti al Congresso degli Stati Uniti, ha affermato con chiarezza che solo una rivoluzione «collettiva» della coscienza umana sarà in grado salvare il mondo dalla sua attuale tendenza all'annientamento. Lo stesso Gorbačëv ha sostenuto questa tesi, asserendo che è necessario un rinnovamento spirituale per salvare il suo travagliato paese.

La regressione a vite passate, di cui Brian Weiss ci parla in questo libro, è un esempio di fenomeni straordinari della coscienza umana, oggi sempre più largamente accettati. Non dobbiamo sentirci a disagio né vergognarci di aver vissuto simili esperienze: per esempio, uno dei più grandi storici della nostra epoca, sir Arnold Toynbee, racconta che fu ispirato a scrivere la sua monumentale opera storica da esperienze personali che, benché spontanee, erano molto simili a quelle descritte da Brian Weiss.

Secondo le persone che hanno avuto esperienze di premorte, in quei momenti, che sembrano gli ultimi della vita terrena, si impara che amare è la cosa più importante. Oggi è ormai chiaro che proprio l'amore è l'unico mezzo per migliorare il mondo e forse lo sviluppo di tecniche per raggiungere stati alterati di coscienza è il sistema più efficace per potenziarlo.

Brian Weiss è davvero un pioniere: ha fatto conoscere al grande pubblico tecniche sicure per il raggiungimento di stati alterati di coscienza che possono condurre a una maggiore consapevolezza di sé e favorire la comprensione tra le persone. Soprattutto in quest'epoca di enorme diffusione della comunicazione elettronica, potremo forse portare avanti un rinnovamento spirituale grazie al quale gli esseri umani di tutto il mondo saranno uniti nell'amore e nella pace.

Raymond A. Moody

I

L'inizio

Prima di dedicarmi al processo di guarigione, vorrei spendere alcune parole introduttive su di me, per coloro che non hanno letto il mio *Molte vite, molti maestri*.

In quel libro descrivo l'incredibile esperienza che ho avuto con la mia paziente Catherine, prima della quale la mia vita aveva avuto un'impostazione unicamente accademica. Dopo aver ottenuto con lode il diploma Phi Beta Kappa alla Columbia University, mi laureai in Medicina alla Yale University School of Medicine, dove conseguii anche la specializzazione in psichiatria. Insegnai inoltre in molte prestigiose università, e feci più di quaranta pubblicazioni scientifiche sulla psicofarmacologia, la chimica del cervello, i disturbi del sonno, la depressione, gli stati di ansia, la tossicodipendenza e il morbo di Alzheimer. Diedi un solo contributo alla stesura di un libro – *The Biology of Cholinergic Function* (La biologia della funzione colinergica) –, che non si rivelò certo un bestseller, anche se credo che abbia aiutato alcuni miei pazienti insonni a addormentarsi.

A quell'epoca ero ossessivo-compulsivo, molto razionale, ed ero anche del tutto scettico riguardo a quelle discipline come la parapsicologia che non possono essere sottoposte alle tradizionali dimostrazioni scientifiche. Non sapevo nulla della reincarnazione o delle vite passate, né volevo saperne di più.

Catherine si rivolse a me circa un anno dopo che avevo avuto l'incarico di direttore del dipartimento di Psichiatria al Mount Sinai Medical Center di Miami, in Florida. Originaria del New England, aveva quasi trent'anni ed era cresciuta in una famiglia cattolica: questo fatto non le aveva mai creato problemi, né lei stessa aveva mai avuto crisi di fede. Soffriva di paure, fobie, attacchi di panico paralizzanti e di incubi ricorrenti: questi sintomi avevano sempre fatto parte della sua vita ma, negli ultimi tempi si erano intensificati.

Contro le mie più ottimistiche previsioni, Catherine, dopo circa un anno di psicoterapia convenzionale, continuava a presentare gli stessi gravi sintomi, nonostante lavorasse in ospedale come tecnico di laboratorio e fosse abbastanza intelligente e consapevole per poter trarre beneficio dalle cure. Eppure non c'era nulla in lei che facesse pensare a un caso difficile.

Poiché soffriva da sempre della paura di soffocare, non voleva assumere alcuna medicina: quindi nel suo caso non potevo prescrivere antidepressivi o tranquillanti, i farmaci che di solito utilizzavo di fronte a sintomi simili ai suoi. Il suo rifiuto si rivelò poi una vera benedizione, anche se al momento non me ne resi conto.

Alla fine, Catherine mi permise infatti di sperimentare l'ipnosi, una forma di concentrazione focalizzata, per aiutarla a ricordare la sua infanzia e a identificare i traumi rimossi o dimenticati che erano a mio avviso la causa dei suoi attuali sintomi. Fu così che riuscì a entrare in uno stato profondo di trance ipnotica e iniziò a recuperare eventi della sua vita che non era in grado di ricordare consciamente. Rammentò di essere stata spinta dal trampolino di una piscina e di essersi sentita soffocare quando era caduta in acqua. Le ritornò alla mente la paura provata quando un dentista, per anestetizzarla, le aveva posto la mascherina sulla bocca, ma soprattutto ricordò un'esperienza più traumatica: all'età di tre anni, suo padre, alcolizzato, la accarezzava e le copriva la bocca con la sua enorme mano per impedirle di gridare.

Ero certo che avevamo trovato le risposte giuste, e che Catherine si sarebbe sentita meglio, ma i suoi sintomi, con mia grande sorpresa, continuarono a essere gravi. Riflettendo, giunsi alla conclusione che dovevano esserci altri traumi, sepolti nel subconscio della mia paziente, e decisi di provare di nuovo, pensando che forse suo padre l'aveva molestata anche prima dei tre anni. Così, la settimana successiva, feci cadere nuovamente Catherine in una profonda trance, ma, inavvertitamente, le diedi delle istruzioni imprecise: «Regredisca fino all'epoca in cui sono iniziati i sintomi».

Mi aspettavo che tornasse di nuovo alla sua prima infanzia, ma lei, con un balzo indietro di quattromila anni, mi parlò di un'esistenza trascorsa in Medio Oriente, in cui aveva un altro nome, viso, corpo e capelli diversi, e di cui ricordava dettagliatamente luoghi, abiti e particolari. Ripercorse vari momenti della sua vita, fino ai suoi ultimi istanti, durante un'inondazione, quando era annegata mentre la sua bambina le veniva strappata dalle braccia dalla forza delle acque. Dopo la morte, aveva fluttuato sul suo corpo, sperimentando le esperienze di premorte di cui trattano le opere della dottoressa Elisabeth Kübler-Ross, del dottor Raymond Moody, del dottor Kenneth Ring e di altri, cui accennerò più diffusamente nei prossimi capitoli; eppure Catherine non aveva mai sentito parlare di questi studiosi né delle loro ricerche.

Nel corso della stessa seduta di ipnosi, la mia paziente ricordò altre due esistenze passate. In una era una prostituta spagnola del XVIII secolo, nell'altra una greca, vissuta poche centinaia di anni dopo la donna mediorientale.

Mi sentivo in uno stato d'animo a metà tra il turbamento e lo scetticismo: avevo ipnotizzato centinaia di pazienti senza che fosse mai accaduto nulla di simile. Per di più, dopo oltre un anno di psicoterapia, conoscevo piuttosto bene Catherine: non era psicotica, non aveva mai avuto allucinazioni, non aveva personalità multiple, non era particolarmente suggestionabile, non faceva uso di droghe e non era alcolizzata. I suoi «ricordi», a mio avviso, dovevano necessariamente essere frutto della fantasia o dell'immaginazione.

A questo punto, però, successe qualcosa di inspiegabile: i disturbi della mia paziente iniziarono a migliorare sensibilmente e velocemente, cosa che non potevo addebitare alla fantasia né all'immaginazione. Una settimana dopo l'altra, Catherine, sotto ipnosi, ricordava le sue vite passate e tutti i suoi sintomi scomparivano: nel giro di pochi mesi, senza aver assunto alcun medicinale, era completamente guarita.

Mentre il mio scetticismo cominciava lentamente a venir meno, accadde un episodio davvero strano: durante la quarta o quinta seduta di ipnosi, dopo aver ricordato una sua antica morte, Catherine fluttuava sopra il suo corpo, attratta dalla meravigliosa luce spirituale che incontrava sempre nello stato intermedio tra due vite.

«Mi dicono che ci sono molti dei, perché Dio è in ognuno di noi» mormorò improvvisamente con voce roca. Poi pronunciò parole che avrebbero cambiato completamente la mia vita.

«Tuo padre è qui, e anche tuo figlio, che è un neonato. Tuo padre sostiene che lo riconoscerai perché il suo nome è Avrom, lo stesso che hai dato a tua figlia. Inoltre morì a causa del suo cuore. Anche il cuore di tuo figlio dava preoccupazioni, perché era volto all'indietro, come quello di un pollo. Tuo figlio fece un grande sacrificio per te, per amore. La sua anima è molto avanzata... morendo ha pagato i debiti dei suoi genitori e ha voluto mostrarti che la medicina può arrivare solo a un dato punto, che le sue mete sono molto limitate.»

Catherine finì di parlare e io rimasi in un silenzio religioso mentre la mia mente cercava di chiarire le cose. La stanza sembrava gelata. Catherine sapeva pochissimo della mia vita personale. Sulla mia scrivania avevo due fotografie, una di mia figlia bambina che rideva felice con i suoi primi due dentini e l'altra di mio figlio. Oltre a questo, Catherine non sapeva nulla della mia famiglia e della mia storia. Ero stato bene addestrato nelle tecniche psicoterapeutiche tradizionali. Si supponeva che il terapeuta fosse una *tabula rasa*, un foglio bianco su cui il paziente poteva proiettare i propri sentimenti, i propri pensieri e i propri orientamenti. Questi, allora, potevano essere analizzati dal terapeuta, andando oltre la mente del paziente. Io avevo mantenuto questa distanza terapeutica con Catherine. Lei mi conosceva solo come psichiatra, ignorando tutto il mio passato e la mia vita privata. Non avevo mai appeso i miei diplomi alle pareti del mio studio.

La più grande tragedia della mia vita era stata l'improvvisa morte del mio primogenito, Adam, all'inizio del 1971. Circa dieci giorni dopo che lo avevamo portato a casa dall'ospedale, aveva sviluppato problemi respiratori e vomito convulso. La diagnosi fu estremamente difficile: «Drenaggio polmonare venoso completamente anomalo con un difetto del setto atriale» ci fu detto. «Accade una volta su circa dieci milioni.» Le vene polmonari, che si suppone portino sangue ossigenato al cuore, erano dirette in modo anomalo ed entravano nel cuore dal lato errato. Era come se il cuore fosse rovesciato. Un fenomeno estremamente raro.

Un disperato intervento chirurgico a cuore aperto non poté salvare Adam, che morì alcuni giorni dopo. Piangemmo per mesi la caduta delle nostre speranze e dei nostri sogni. Nostro figlio Jordan nacque un anno dopo e fu un grande balsamo per le nostre ferite.

Al tempo della morte di Adam, io ero incerto se scegliere la carriera psichiatrica. Stavo svolgendo il mio internato di clinica medica e mi era stato offerto un incarico stabile in questo campo. Dopo la morte di Adam, decisi di abbracciare la professione di psichiatra. Ero furioso che la medicina moderna, con tutte le sue possibilità e le sue tecniche avanzate, non avesse potuto salvare mio figlio, un neonato di pochi giorni.

Mio padre era sempre stato in eccellente salute. Nel 1979, a sessantun anni, aveva però avuto un grave attacco cardiaco. Sopravvisse a quell'episodio, ma tre giorni dopo morì, perché il suo cuore aveva subito pesanti conseguenze. Tutto questo era avvenuto circa nove mesi prima che iniziassi la terapia con Catherine.

Mio padre era religioso, ma più nel senso dell'osservanza dei riti che in quello spirituale. Il suo nome ebraico, Avrom, gli si adattava meglio dell'inglese Alvin. Quattro mesi dopo la sua morte, nacque nostra figlia Amy, e le fu imposto anche il nome di lui.

Adesso, nel 1982, nella penombra del mio tranquillo studio, un'assordante cascata di verità segrete si riversava su di me. Nuotavo in un mare spirituale: era un'esperienza piacevole. Mi sentivo sulle braccia la pelle d'oca. Catherine non poteva sapere tutto questo. Non era nemmeno possibile pensarlo. Il nome ebraico di mio padre, il fatto che mio figlio fosse morto nelle prime settimane di vita per una malformazione cardiaca che si presenta in un caso su dieci milioni, le mie incertezze sulla medicina, la morte di mio padre e il nome di mia figlia, tutto questo era troppo, troppo specifico e troppo vero. Mi trovavo a confronto con un canale non convenzionale di conoscenza trascendentale. E, se poteva rivelare queste verità, cos'altro c'era? Dovevo saperne più.

«Chi» farfugliai. «Chi c'è lì? Chi dice queste cose?»

«I Maestri» mormorò lei, «gli Spiriti Maestri mi parlano. Sostengono che ho vissuto ottantasei volte nello stato fisico.»*

* *Molte vite, molti maestri*, Milano, Mondadori, 1997, pp. 44-46.

Ero certo che Catherine non fosse e non potesse essere a conoscenza di questi episodi della mia vita privata. Mio padre si era spento nel New Jersey, era stato sepolto nella parte settentrionale dello stato di New York e sulla sua morte non era apparso neppure un necrologio. Adam era spirato dieci anni prima, a New York, a quasi duemila chilometri di distanza. In Florida, pochi amici intimi erano al corrente della sua esistenza, pochissimi delle circostanze della sua morte e in ospedale nessuno ne sapeva nulla. Catherine non poteva aver appreso alcuna indiscrezione sulla mia storia familiare. Inoltre aveva citato il nome Avrom, e non la sua traduzione inglese, Alvin.

Passato lo shock, mi rimisi i miei soliti panni di psichiatra ossessivo-compulsivo e scientificamente rigoroso, ma iniziai a cercare ulteriori informazioni rovistando in biblioteche e librerie. Trovai delle opere eccellenti, per esempio gli studi del dottor Ian Stevenson, cui accennerò più oltre, che ha condotto ricerche con bambini capaci di rammentare le proprie reincarnazioni. Scoprii anche le rare pubblicazioni di medici che, attraverso l'ipnosi o altre tecniche, avevano usato la terapia regressiva per permettere all'inconscio dei loro pazienti di tornare indietro nel tempo e di ritrovare i ricordi di vite precedenti. Ora so che molti medici sono restii a rendere pubbliche le proprie esperienze in questo campo perché ne temono gli effetti sulla loro carriera e sulla loro reputazione.

Catherine, la cui storia è descritta dettagliamente in *Molte vite, molti maestri*, ha rivissuto decine di vite passate ed è guarita. Oggi è una donna felice, serena, i suoi sintomi paralizzanti e la sua dilagante paura della morte sono scomparsi. Ora sa che quella parte di lei in cui risiedono memoria, personalità e una prospettiva molto maggiore di quella della sua mente conscia, sopravviverà anche dopo la sua morte fisica.

In seguito alla mia esperienza con Catherine, il mio modo di vedere la psichiatria è cambiato radicalmente: mi sono reso conto che la terapia regressiva era un metodo per curare rapidamente sintomi psichiatrici che in passato avrebbero richiesto mesi o anni di costose terapie per migliorare; che era la via più diretta per alleviare il dolore ed eliminare le paure. Ho iniziato quindi a utilizzare questa terapia con altri pazienti e, ancora una volta, i risultati sono stati eccellenti. Fino a oggi, ho fatto regredire centinaia di persone alle loro vite precedenti durante le sedute individuali e ho usato spesso tale terapia anche in seminari di gruppo.

Chi sono i miei pazienti? Medici, avvocati, uomini d'affari, altri terapeuti, casalinghe, operai, commessi ecc. Sono persone con fedi religiose, livelli socioeconomici e background culturali differenti, eppure molti di loro sono riusciti a ricostruire dettagli di altre vite, o a ricordare di essere sopravvissuti alla morte fisica.

La maggior parte dei miei pazienti ha sperimentato la regressione per mezzo dell'ipnosi; alcuni hanno ricordato grazie alla meditazione; altri spontaneamente, con forti sensazioni di déjà vu; altri ancora attraverso sogni molto vividi, o con altri sistemi.

Molti sono riusciti a liberarsi di sintomi cronici, che duravano da una vita: fobie particolari, attacchi di panico, incubi ricorrenti, paure inspiegabili, obesità, relazioni distruttive ripetute, malattie e dolori fisici, ecc. Non è un effetto placebo: non si tratta di ingenui né di gente facilmente suggestionabile, ma di persone che ricordano nomi, date, località, dettagli, e che guariscono, come Catherine.

Ma forse, più che la cura di specifici sintomi fisici o emotivi, è importante la consapevolezza di non morire, di sopravvivere al proprio corpo, di essere immortali.

Oltre le porte del tempo racconta ciò che ho appreso sulle potenzialità terapeutiche della regressione a vite precedenti da quando ho terminato la stesura di *Molte vite, molti maestri.*

I casi riportati sono veri, mentre i nomi, e alcuni particolari che avrebbero potuto mettere in pericolo l'anonimato dei miei pazienti, sono stati cambiati.

II

Ipnosi e regressione

La tecnica che uso più frequentemente per avere accesso ai ricordi dei miei pazienti è l'ipnosi. Spesso ci si chiede in che cosa consista e cosa accada quando ci si trova in questa condizione, ma in effetti non c'è nulla di misterioso. L'ipnosi è uno stato di estrema concentrazione che molti sperimentano normalmente ogni giorno.

Essere rilassati, tanto concentrati da non essere distratti neppure da rumori esterni o da altri stimoli, significa essere in uno stato di leggera ipnosi. Ogni forma di ipnosi è in realtà autoipnosi: è il paziente a controllare l'intero processo, il terapeuta è solo una guida. Parecchie persone cadono in uno stato di ipnosi tutti i giorni: quando sono prese dalla lettura di un libro, dalla visione di un film, o quando, in macchina, guidano in modo «automatico», come se l'automobile conoscesse la strada di casa.

Uno degli obiettivi dell'ipnosi, come pure della meditazione, è quello di accedere al subconscio, quella parte della nostra mente che, come dice il termine stesso, si trova «al di sotto» del normale flusso di coscienza, al di sotto del costante bombardamento di pensieri, sensazioni, stimoli esterni e altri assalti alla nostra consapevolezza. Il subconscio funziona a un livello più profondo della coscienza ordinaria, lì i processi mentali si sviluppano senza che li si percepisca consciamente come tali. I momenti, noti a chiunque, in cui si manifestano intuizioni, saggezza e creatività non sono altro che attimi in cui il subconscio si apre un varco nella nostra coscienza consapevole.

Il subconscio non è limitato dai confini imposti dalla logica, dallo spazio e dal tempo: serba ricordo di ogni cosa, in qualsiasi momento sia avvenuta; suggerisce soluzioni creative ai nostri problemi; trascende il quotidiano, permettendoci di avere accesso a una saggezza che va molto al di là delle nostre normali capacità. È possibile accedere alla saggezza del subconscio, al fine di raggiungere il benessere, attraverso l'ipnosi. Si è in questo stato tutte le volte in cui si inverte il rapporto tra mente conscia e subconscio e quest'ultimo prende il sopravvento. Esistono tecniche diversissime per raggiungere tale condizione, a seconda della profondità del livello ipnotico in cui si voglia cadere.

In un certo senso, l'ipnosi è un *continuum*, in cui siamo in grado di percepire, in modo più o meno nitido, il trascolorare della mente conscia nel subconscio e viceversa. Nell'esercizio della mia professione, ho incontrato pazienti che potevano raggiungere un livello di ipnosi utile alla terapia solo dopo essere stati istruiti, dopo aver discusso e superato timori e dubbi. Tali paure derivano in gran parte dal modo in cui la televisione, il cinema e i media in generale dipingono questo argomento.

L'ipnosi non ha nulla a che vedere con il sonno. Quando si è ipnotizzati, la mente conscia resta comunque vigile, controlla ciò che si sta vivendo e, nonostante sia a stretto contatto con il subconscio, commenta, critica e censura. Si è sempre padroni di quel che si dice: l'ipnosi non è il siero della verità. Non si tratta di salire su una macchina del tempo per trovarsi improvvisamente trasportati in un'altra dimensione spazio-temporale perdendo completamente coscienza del presente. Alcuni, sotto ipnosi, osservano il proprio passato come se fosse un film; altri si lasciano coinvolgere, provando forti reazioni emotive; altri ancora più che avere delle «visioni» percepiscono delle «sensazioni». Talvolta il senso dominante è l'udito o persino l'olfatto. In ogni caso, il paziente ricorda tutto ciò che è accaduto durante il trattamento.

Potrebbe sembrare che, per raggiungere livelli profondi di ipnosi, siano necessarie delle capacità psichiche particolarmente sviluppate. Invece, ciascuno di noi vive quotidianamente quest'esperienza quando è tra la veglia e il sonno. Tale condizione, detta stato ipnagogico, è quella in cui ci si trova quando si è in procinto di svegliarsi, e si ricordano vividamente i sogni, senza essere ancora del tutto desti. È il lasso di tempo che precede quello in cui la mente riprende possesso dei ricordi e degli interessi di ogni giorno. Lo stato ipnagogico, come l'ipnosi, è un momento creativo: quando lo attraversa, la mente è completamente rivolta verso il mondo interiore e può usare le ispirazioni del subconscio. Lo stato ipnagogico viene considerato da più parti uno «stato di grazia», privo di confini e limitazioni, in cui si ha libero accesso a tutte le proprie risorse senza alcuna restrizione autoimposta.

Thomas Edison considerava questa condizione tanto preziosa che mise a punto un tecnica personalissima per mantenerla mentre lavorava alle sue invenzioni. Seduto su una determinata poltrona, utilizzava tecniche di rilassamento e meditazione per raggiungere questo stato intermedio tra veglia e sonno; intanto teneva alcune sfere di metallo ben strette in una mano, appoggiata, con il palmo rivolto verso il basso, sul bracciolo della poltrona. Sul pavimento metteva un recipiente di metallo, collocato in una posizione tale che, se si fosse addormentato, rilassando le mani avrebbe fatto cadere le sfere e si sarebbe svegliato per il rumore. Edison ripeteva il procedimento più e più volte.

Lo stato ipnagogico è molto simile all'ipnosi, anzi, è addirittura più profondo di molti stati di ipnosi. Un terapeuta esperto nelle tecniche ipnotiche, aiutando il paziente a raggiungere un livello più profondo della propria mente, può dare una spinta decisiva alla sua guarigione. E quando le idee e le soluzioni creative trascendono i problemi personali, la società nel suo complesso ne trae profitto, come tutto il mondo trae beneficio dalla lampadina di Thomas Edison.

Ascoltare una voce guida aiuta il paziente a concentrarsi e gli consente di raggiungere un livello più profondo di ipnosi e di rilassamento. L'ipnosi non nasconde alcun pericolo: ho ipnotizzato molte persone, e nessuno è mai rimasto «imprigionato». È possibile riemergere dall'ipnosi in ogni momento, quando lo si desidera: nessuno ha mai fatto violenza ai propri principi etici o morali e nessuno si è mai comportato involontariamente come una gallina o un'anatra. Il soggetto sotto ipnosi ha il completo controllo della situazione.

Durante una seduta ipnotica, la mente è sempre vigile e consapevole. Questo spiega perché persone profondamente ipnotizzate e coinvolte attivamente in ricordi d'infanzia o di vite passate siano in grado di rispondere alle domande del terapeuta, di parlare la propria lingua, di nominare le località e persino l'anno in cui si trovano, che solitamente appare al loro occhio interno o nella loro mente. Una mente in stato ipnotico, conservando la propria consapevolezza e la propria conoscenza del presente, riesce a contestualizzare i ricordi d'infanzia o delle esistenze passate. Se appare la data 1900 e ci si trova a partecipare alla costruzione di una piramide nell'antico Egitto, si capisce immediatamente di essere nel 1900 a.C.

Questo spiega anche perché un paziente che, sotto ipnosi, stia combattendo nell'Europa del Medioevo riesca a riconoscere individui di quell'epoca presenti nella sua vita attuale; perché parli l'inglese contemporaneo; confronti le armi rudimentali di quel periodo con quelle che ha visto o può aver usato in questa esistenza; dia delle date e così via. La sua mente è consapevole, osserva, commenta e riesce sempre a mettere a confronto dettagli di quell'età con questa vita. Il paziente è contemporaneamente spettatore, critico e protagonista di un film, e nel frattempo rimane in uno stato di profondo rilassamento ipnotico.

L'ipnosi pone il paziente in una condizione estremamente favorevole per raggiungere il benessere, permettendogli di accedere al subconscio. Metaforicamente parlando, lo fa entrare nella foresta magica in cui si trova l'albero della salute. Ma, se l'ipnosi è la porta verso il paese del benessere, è il processo di regressione che rappresenta quell'albero e i suoi frutti sacri, che bisogna mangiare per guarire.

La terapia della regressione consiste nell'atto mentale di tornare a un tempo passato, quale che sia, per recuperare ricordi che possono esercitare influenze negative sulla vita presente del paziente e che, probabilmente, sono la causa dei suoi problemi. L'ipnosi permette di avere accesso a queste informazioni aggirando le barriere della mente conscia, comprese quelle che impediscono di accedere liberamente alle proprie esistenze precedenti.

Secondo Freud, la compulsione ripetitiva è l'impulso,

spesso irresistibile, a ripetere o riproporre esperienze emotive, di solito dolorose, già verificatesi in passato. Nel 1938, nei suoi *Papers on Psycho-Analysis*, il famoso psicoanalista scozzese Ernest Jones definì la compulsione ripetitiva come «il cieco impulso a ripetere esperienze e situazioni precedenti, indipendentemente dal vantaggio che, così facendo, se ne potrebbe ricavare secondo il principio del piacere-dolore».

Per quanto distruttivo o pernicioso sia tale comportamento, l'individuo sembra costretto a ripeterlo. La forza di volontà non ha alcun potere di controllo sulla compulsione. Freud scoprì che era efficace riportare alla superficie consapevole il trauma iniziale, risolverlo catarticamente (un processo che si definisce abreazione) e integrarlo con quanto il soggetto aveva vissuto e appreso. La terapia della regressione ipnotica, praticata da un esperto, consiste nel porre il paziente sotto ipnosi e poi nel fornirgli gli strumenti necessari a riportare alla luce «l'incidente», che spesso si è verificato durante l'infanzia.

Questa è la teoria psicoanalitica tradizionale; ma in diverse occasioni, come nel caso di Catherine, il trauma iniziale risale a molto più lontano: a un'esistenza precedente. Nel corso della mia carriera di psichiatra, ho scoperto che almeno il 40% dei miei pazienti aveva bisogno di ripercorrere le proprie vite passate per risolvere problemi che affliggevano quella attuale, anche se ciò si rivelava comunque utile a tutti.

Dunque, per il 40% dei pazienti, la terapia della regressione è un elemento fondamentale della cura. Uno psichiatra preparatissimo, che però rinchiuda il suo campo d'azione nei confini, normalmente accettati, di una sola vita, non sarà in grado di portare alla guarigione quel paziente i cui sintomi siano stati causati da un trauma occorso in un'esistenza precedente, centinaia o forse migliaia di anni prima. Quando invece, usando la terapia della regressione, si riportano alla consapevolezza questi ricordi repressi tanto a lungo, si assiste a un miglioramento rapido e sorprendente.

Prendiamo come esempio un comportamento sessuale compulsivo, cioè una manifestazione della sindrome da compulsione ripetitiva. Conosco un giovane che è spinto compulsivamente a una forma di esibizionismo: nello specifico esibisce i propri genitali a determinate donne mentre si masturba in macchina. È chiaramente un comportamento pericoloso, distruttivo e oltraggioso nei confronti delle sue vittime, per cui è già stato arrestato numerose volte; tuttavia, questa forma di compulsione distruttiva continua.

Lo psichiatra che lo ha in cura è risalito alle origini del suo comportamento: alcuni episodi a sfondo sessuale che lo avrebbero visto protagonista, insieme a sua madre, quando era ancora bambino. La madre era solita coccolare il figlio mentre gli faceva il bagnetto e ciò, provocandogli delle erezioni, gli causava delle intense emozioni, confuse ma assai eccitanti. Parte della sindrome compulsiva sembrava dunque scaturire dal desiderio di ricreare l'intensità di tali sensazioni.

Nonostante il successo di questo bravissimo collega nello scoprire il trauma primitivo, la terapia è stata efficace solo in modo parziale, e il paziente soffre tuttora di frequenti ricadute: è come costretto, contro la propria volontà, a ripetere un comportamento che, oltre a essere oggettivamente rischioso, gli provoca un forte senso di colpa e di vergogna.

In base alla mia esperienza professionale nella terapia della regressione, cui ho sottoposto più di trecento persone, penso che, con ogni probabilità, la cura abbia avuto un'efficacia limitata perché il trauma originario risale a una vita precedente. Lo stesso scenario potrebbe addirittura essersi ripresentato in molte esistenze passate e forse abbiamo di fronte solo l'ultima manifestazione di una serie di traumi simili, il cui andamento ricorrente si è ormai fissato. È necessario riportare alla luce della consapevolezza tutti i traumi, non soltanto il più recente, perché sia possibile una completa guarigione.

Grazie all'ipnosi, molti miei pazienti hanno fatto riemergere traumi che si ripetono sotto forme diverse esistenza dopo esistenza. Tali serie includono episodi di violenza familiare tra padre e figlia, che ricorrono nei secoli e si manifestano nuovamente nel presente; casi in cui il marito violento di una vita passata è riemerso come padre violento; esempi di alcolismo, una piaga che ha rovinato molte esistenze, e persino due partner in forte conflitto che hanno scoperto di essersi uccisi a vicenda nelle quattro vite precedenti.

Prima di rivolgersi a me, molti miei pazienti erano stati curati con terapie convenzionali, che però erano state efficaci solo in parte o per niente. Per loro, la terapia della regressione è stata necessaria a eliminare del tutto la sintomatologia e a por fine per sempre a questi cicli di comportamenti dannosi e disagevoli.

Il concetto di compulsione ripetitiva sembra valido, ma i limiti del passato entro cui agire devono essere spostati fino a comprendere altre vite se i confini di quella presente non bastano a spiegare i comportamenti anomali. Sono sicuro che quel giovane costretto a masturbarsi stando in macchina deve esaminare altre esistenze, identificarne i traumi e divenirne consapevole. Se il fondamento patologico rimane latente, i sintomi inevitabilmente si ripresenteranno: solo riportandolo alla luce è possibile iniziare una cura efficace.

Ho constatato che l'ipnosi, combinata alla terapia della regressione, riesce a penetrare nel subconscio a un livello più profondo rispetto ad altre tecniche psicoanalitiche come l'associazione libera, in cui il paziente è rilassato ma sveglio e tiene semplicemente gli occhi chiusi. Attraverso la terapia della regressione, infatti, si accede ad aree di memoria non sfiorate dalla mente conscia e quindi si creano associazioni fra strati di consapevolezza più profondi, offrendo ai pazienti risultati più rapidi e duraturi.

Ciò che emerge grazie alla terapia della regressione presenta notevoli analogie con i potenti archetipi universali descritti da Carl Jung. Tuttavia non si tratta di materiale archetipico o simbolico, ma di veri e propri frammenti di ricordi, tratti da un *continuum* di esperienze umane che si snodano dal passato al presente. La terapia della regressione combina il meglio della teoria freudiana, vale a dire la precisione e la catarsi terapeutica, con la partecipazione alla cura e il riconoscimento del significato simbolico profondo, cifra dell'insegnamento junghiano.

La terapia della regressione, però, non si riduce alla tecnica ipnotica. Prima di iniziare le sedute di ipnosi, un bravo psichiatra dovrà dedicare molto tempo a ricostruire la storia del paziente, porre domande, ottenere risposte e approfondire nello specifico e in dettaglio particolari aree di rilevanza. Solo in questo modo si potrà aumentare la percentuale di successo dal 50 al 70%. A conclusione dell'incontro poi, dopo che il paziente sarà riemerso dall'ipnosi, sarà necessario integrare le sensazioni, le intuizioni e le informazioni ricevute con le condizioni di vita presenti.

Tale integrazione richiede una notevole esperienza e grandi capacità terapeutiche, perché il materiale riemerso contiene spesso emozioni molto forti. Per questo consiglio vivamente di affidarsi soltanto a professionisti laureati in medicina, e specializzati in psichiatria. Infatti, i terapeuti anticonvenzionali potrebbero non essere in grado di lasciar fluire i ricordi al giusto ritmo e di aiutare il paziente a integrare il materiale emerso.

Sperimentare la regressione da soli a casa propria, tuttavia, è utile e per lo meno rilassante. Il subconscio è saggio, non offrirà alla mente conscia ricordi che quest'ultima non è in grado di assimilare. Nel caso poi, sempre possibile, che insorgano sintomi collaterali, come ansia o senso di colpa, basterà un incontro con un professionista per alleviarli. Comunque, chi si propone di lavorare da solo può decidere semplicemente di interrompere l'esperienza, visto che il subconscio veglia su di lui, mentre un terapeuta poco pratico potrebbe cercare di scavalcare l'inconscio del paziente forzandolo a continuare indipendentemente dal proprio grado di preparazione.

Essendo un professionista con pochissimo tempo a disposizione, il mio obiettivo principale è curare i pazienti, non stabilire la veridicità delle loro precedenti esistenze, sebbene anche la verifica sia un aspetto importante.

I ricordi relativi a vite passate vengono recuperati e descritti secondo due tipologie fondamentali. La prima, da me definita «classica», è quella in cui il paziente ha accesso a un'esistenza ed è in grado di descriverla con abbondanza di particolari nei suoi eventi principali. La vita gli sfila davanti quasi come un racconto cinematografico, partendo spesso dalla nascita e concludendosi con la morte. In molti casi il paziente assiste serenamente alla propria dipartita e all'intera esistenza. Le lezioni di quella particolare vita vengono discusse e chiarite con l'aiuto del paziente stesso e magari di figure religiose o guide spirituali.

Molte delle esistenze di Catherine sono riemerse secondo

la tipologia classica. Ecco di seguito un brano, tratto da una vita in cui era un'antica egizia. Catherine iniziava raccontando un'epidemia che aveva causato la morte del padre e del fratello. Lei aveva aiutato i sacerdoti a preparare i corpi per la sepoltura. I ricordi si riferiscono al momento in cui lei aveva sedici anni:

«La gente veniva messa in grotte. I corpi erano custoditi in grotte. Ma prima, i corpi dovevano essere preparati dai sacerdoti. Dovevano essere avvolti e unti. Venivano conservati in caverne, ma adesso la terra è allagata... Dicono che l'acqua è cattiva. Non bevono l'acqua.»

«Vi è un mezzo di cura? Qualche cosa che funzioni?»

«Ci davano delle erbe, diverse erbe. Gli odori... le erbe e... si odorano i profumi. Io posso odorarli!»

«Riconosce il profumo?»

«È bianco. Lo appendono al soffitto.»

«È come l'aglio?»

«Viene appeso... le proprietà sono simili, sì. Le sue proprietà... Ce lo mettiamo in bocca, nelle orecchie, nel naso, dappertutto. L'odore era forte. Si credeva che impedisse agli spiriti maligni di entrarci nel corpo. Porpora... Un frutto o qualche cosa di rotondo coperto di porpora, una buccia di porpora su di esso...»

«Riconosce la civiltà in cui è? Le sembra familiare?»

«Non so.»

«Il frutto di porpora è di qualche genere?»

«*Tannis*.»

«E questo vi aiuta? Serve contro la malattia?»

«Serviva a quel tempo.»

«Tannis» ripetei cercando ancora di vedere se parlava di ciò che noi chiamiamo tannino o acido tannico. «Lo chiamavano così? *Tannis*?»

«Io... continuo a sentire *tannis*»

«Che cosa di questa vita si è inserito nella sua vita attuale? Perché torna a regredire qui? Che cosa vi è che la turba così?»

«La religione» sussurrò rapidamente Catherine, «la religione di quel tempo. Era una religione di paura... paura. C'erano tante cose da temere... E tanti dei.»

«Ricorda i nomi di qualche dio?»

«Vedo degli occhi. Vedo un nero... qualche tipo di... Sembra uno sciacallo. È una statua. È una specie di guardiano... Vedo una donna, una dea, con una sorta di copricapo.»

«Conosce il suo nome, il nome della dea?»

«Osiride... Sirus .... qualche cosa di simile. Vedo un occhio... un occhio, solo un occhio, un occhio in una catena. È d'oro.»

«Un occhio?»

«Sì... chi è Hathor?»

«Chi?»

«Hathor! Chi è?»

Io non avevo mai sentito parlare di Hathor, sebbene sapessi che Osiride, se la pronuncia era giusta, era il fratello e marito di Iside, una delle principali divinità egizie. Più tardi seppi che Hathor era la dea egizia dell'amore, della gaiezza e della gioia.

«È una divinità?» chiesi.

«Hathor! Hathor!» Vi fu una lunga pausa. «Un uccello... è piatto... piatto, una fenice.» Rimase ancora silenziosa.

«Avanzi nel tempo, adesso fino all'ultimo giorno di questa vita. Vada all'ultimo giorno, ma prima di essere morta. Mi dica quello che vede.»

Lei rispose con un bisbiglio dolcissimo. «Vedo della gente e dei fabbricati. Vedo sandali, sandali. C'è un veste rozza, una sorta di veste rozza.»

«Che succede? Arrivi adesso al momento della sua morte. Che cosa succede? Può vederlo.»

«Non lo vedo... non mi vedo più.»

«Dov'è? Che cosa vede?»

«Nulla... solo oscurità... vedo una luce, una luce calda.»

Era già morta, era già passata nello stato spirituale. Evidentemente non aveva bisogno di sperimentare ancora la sua morte.

«Può raggiungere quella luce?» chiesi.

«Ci sto andando.» Stava tranquilla, aspettando ancora.

«Adesso può guardare le lezioni di questa vita? Ne è consapevole?»

«No» mormorò. Continuò ad aspettare. D'improvviso parve sveglia, sebbene i suoi occhi rimanessero chiusi, come sempre quando era in trance ipnotica. La sua testa si volgeva da un lato all'altro.

«Che cosa sta vedendo, adesso? Che cosa succede?»

La sua voce divenne più forte. «Sento... qualcuno che mi parla.»

«Che cosa dice?»

«Parla della pazienza. Bisogna avere pazienza...»

«Sì, continui.»

La risposta venne dal Maestro poeta. «Pazienza e tempestività... Tutto viene quando deve venire. Una vita non può essere condotta a gran velocità, non può essere attuata secondo un programma come tanti vorrebbero. Dobbiamo accettare quello che ci giunge in un dato tempo e non chiedere più. Ma la vita è senza fine, noi non moriamo mai; non siamo mai realmente nati. Noi passiamo solo attraverso diverse fasi. Non vi è fine. Gli umani hanno molte dimensioni. Ma il tempo non è come ci appare, consiste piuttosto in lezioni che vengono imparate.»*

I dettagli sulla sepoltura, sull'erba usata per difendersi dall'epidemia e sulle statue degli dei sono tutti elementi tipici della regressione classica, come pure il lasso di tempo coperto dai ricordi: dai sedici anni alla fine. Anche se Catherine non rammenta qui l'effettivo episodio della morte (lo aveva già ripercorso in una seduta precedente), non aveva varcato tale soglia per ricevere informazioni spirituali illuminanti sull'«aldilà».

Ho chiamato la seconda tipologia con cui si presentano le narrazioni di vite passate «flusso di momenti chiave». In questo caso il subconscio lega insieme i ricordi più importanti di una serie di vite, i momenti chiave appunto, i più rappresentativi del trauma nascosto e i più efficaci per la guarigione del paziente.

A volte il flusso comprende la narrazione di vite intermedie. La lezione e l'intreccio del racconto sono talora ambigui e non si chiariscono se non verso la fine del flusso stesso o solo ponendo una specifica domanda al paziente.

Con alcuni soggetti, il flusso di momenti chiave non è continuo: può diventare man mano più particolareggiato o trasformarsi in una tipologia classica nelle sedute successive, in base alle particolari condizioni del subconscio del paziente.

* *Molte vite, molti maestri*, cit., pp. 92-94.

Spesso, il flusso di momenti chiave può passare più o meno rapidamente, ma sempre in modo tranquillo e sereno, da un trauma all'altro, da una scena di morte all'altra, mentre fa scaturire la propria forma di illuminazione, oscura ma profondamente rigenerante. Ecco alcuni esempi di flusso di momenti chiave, tratti ancora dalle sedute con Catherine. Il racconto proviene dalla prima esperienza di terapia della regressione.

«Vi sono alberi e una strada di pietra. Vedo un fuoco e gente che cucina. Ho i capelli biondi. Indosso un lungo e rozzo abito scuro, e sandali. Ho venticinque anni. Ho una bambina il cui nome è Cleastra... È Rachel. [Rachel è attualmente sua nipote; hanno sempre relazioni molto strette.] Fa molto caldo... Vi sono grandi onde che abbattono gli alberi. Non c'è via di scampo. Fa freddo; l'acqua è fredda. Devo salvare la mia bambina, ma non posso... posso solo tenerla stretta. Annego; l'acqua mi soffoca. Non posso respirare, non posso inghiottire... acqua salata. La mia bambina mi è strappata dalle braccia... Vedo delle nubi... La mia bambina è con me. E altri del mio villaggio. Vedo mio fratello.»

Adesso riposava; quella vita era finita. Lei era ancora in trance profonda.

«Vada avanti» le dissi... «Ricorda qualcos'altro?»

«Ho un abito con pizzi neri e ho un pizzo nero in testa. Ho capelli scuri, con qualche filo grigio. È l'anno 1756 della nostra era. Sono spagnola. Mi chiamo Luisa e ho cinquantasei anni. Sto ballando, e anche altri ballano. [Lunga pausa.] Non sto bene; ho la febbre, sudori freddi... Molti non stanno bene; la gente muore... I medici non sanno che si tratta dell'acqua.» La portai avanti nel tempo. «Mi sto riprendendo, ma la testa mi fa sempre male; gli occhi e la testa mi dolgono per la febbre, a causa dell'acqua... Molti muoiono.»*

È chiaro che in questo caso il legame è costituito da esperienze traumatiche dovute a disastri naturali. Può sembrare che il flusso di momenti chiave abbia una natura emotivamente ricca e intensa, ma, in base alla mia esperienza, rivivere un trauma o la scena della propria morte presenta rischi di

* *Molte vite, molti maestri*, pp. 23 e 25.

reazioni negative davvero minimi con entrambe le tipologie. Nelle mani di un professionista esperto, o da soli, quasi tutti sono in grado di gestire e integrare i propri ricordi senza grosse difficoltà, anzi, in genere si sentono molto meglio. Lo psichiatra, se lo ritiene necessario, può sempre ordinare al paziente di osservare la scena dall'alto, senza coinvolgimento emotivo, e il subconscio può sempre «farlo uscire» dalla regressione. Le scelte sono sempre possibili: si può scegliere di non ripercorrere affatto la scena della propria morte. Comunque, l'intensità della terapia di regressione non incute alcun terrore in chi vi si sottopone.

La tipologia dei momenti chiave, saltando dall'uno all'altro, è una modalità terapeutica estremamente pratica ed efficace, in cui i collegamenti necessari tra le vite precedenti e quella attuale possono emergere in meno di un'ora. D'altra parte, concentrandosi sulla sostanza e non sui particolari, il flusso dei momenti chiave tende a fornire minori sicurezze al paziente di quanto non faccia la tipologia classica. Non posso prevedere quale di queste due tipologie adotterà un paziente, ma so che entrambe portano alla guarigione.

Infine, non tutti hanno la necessità di ricordare le proprie vite precedenti attraverso l'ipnosi, non tutti sopportano il peso di traumi passati o di ferite che influenzano il presente, anzi, spesso un paziente ha bisogno di concentrarsi sul presente, non sul passato. Comunque, io insegno le tecniche di autoipnosi e di meditazione perché sono preziose nella vita quotidiana: se si vuole guarire dall'insonnia, combattere l'ipertensione, perdere peso, smettere di fumare, rafforzare il sistema immunitario per difendersi dalle infezioni e dalle malattie croniche, ridurre lo stress, o raggiungere il rilassamento e la serenità interiore, si possono praticare tali tecniche per il resto della propria esistenza.

Nonostante gli indubbi benefici, talvolta i pazienti si rifiutano di sottoporsi all'ipnosi, spesso per le ragioni più sorprendenti.

Mentre facevo l'internato di psichiatria alla Facoltà di Medicina di Yale, venne da me un uomo d'affari che voleva superare il proprio terrore di volare. A quel tempo ero uno dei pochi terapeuti di Yale che utilizzasse l'ipnosi per curare fobie monosintomatiche, dirette cioè verso una cosa specifica, come la paura di volare, di guidare in autostrada o dei serpenti. Quell'uomo d'affari doveva viaggiare moltissimo per lavoro e, visto che riusciva a usare solo trasporti via terra, voleva assolutamente risolvere il suo problema.

Per convincerlo a sottoporsi alla terapia, gli spiegai meticolosamente la tecnica ipnotica, gli dissi che, senza dubbio, la sua paura poteva essere curata, che non lo avrebbe più bloccato, che gli avrebbe giovato moltissimo, non solo per la sua carriera, ma anche perché avrebbe potuto trascorrere le vacanze in favolose località esotiche. Gli assicurai che la qualità della sua vita sarebbe migliorata sensibilmente.

Intanto lui continuava a guardarmi, accigliato, mentre il tempo passava. Perché mai aveva perso tutto il suo entusiasmo?

«No, grazie dottore» mi rispose alla fine. «Mi sa che la terapia non fa per me.»

Rimasi sconcertato. Avevo curato con successo molti pazienti con i suoi stessi sintomi, e nessuno aveva rifiutato la mia terapia.

«Ma perché?» gli chiesi. «Perché non vuole farsi curare?»

«Io le credo dottore. Sono sicuro che mi guarirà. Non avrò più paura di volare. Prenderò l'aereo. Decollerà, poi magari cadrà e io morirò. No, grazie.»

Non trovai niente da ribattergli. Se ne andò dal mio studio, molto cordialmente: la sua fobia era intatta, ma, indiscutibilmente, lui era ancora vivo.

Io avevo imparato qualcosa sulla mente umana: le sue resistenze e i suoi rifiuti.

III

La conoscenza frutto dell'esperienza

Spesso, tra i nuovi pazienti o i partecipanti ai miei seminari, qualcuno mi confessa: «Dottor Weiss, mi interesserebbe molto provare la regressione, ma temo di avere qualche difficoltà ad accettare il concetto di reincarnazione».

Se anche voi la pensate così, sappiate che non siete gli unici. Molti pazienti, infatti, prima di sottoporsi alla regressione, devono affrontare questo problema, su cui spesso si concentrano le domande durante i miei seminari e le mie lezioni; farlo è ormai diventato parte della terapia. Prima del mio straordinario incontro con Catherine, io stesso ero estremamente scettico sull'idea di reincarnazione e sul potenziale curativo della terapia della regressione. Solo dopo anni mi sono deciso a rendere note le mie convinzioni e le mie esperienze.

Infatti, anche se il caso di Catherine aveva completamente mutato le mie opinioni sulla natura della vita e della guarigione, esitavo a rendere pubblica quest'esperienza perché avevo paura di essere considerato pazzo o per lo meno bizzarro da colleghi e amici.

D'altro canto, avendo curato con successo numerosi pazienti con la terapia della regressione, la sua efficacia mi appariva ormai indubbia. Sapevo di dover affrontare il problema, prima o poi, se non altro per alleviare il mio disagio. Mi recai dunque nella biblioteca della facoltà di Medicina per cercare delle pubblicazioni sull'argomento. Il clinico in me, logico e governato dall'emisfero sinistro del cervello, mi spingeva a questo tipo di approccio, e io volevo trovare qualcosa che confermasse la mia esperienza. Mi ero imbattuto nel ricordo di vite passate del tutto casualmente, attraverso l'ipnosi, quindi ero certo che, usando la stessa tecnica, altri psichiatri avessero avuto esperienze analoghe e speravo che qualcuno avesse avuto il coraggio di scriverne.

La ricerca fu molto deludente: trovai pochissimi studi, per quanto eccellenti, tra cui, per esempio, quello del dottor Ian Stevenson, che descriveva casi di bambini che sembravano ricordare particolari di vite passate, in gran parte verificati sul campo e confermati. Questo resoconto mi fornì delle prove inattaccabili all'idea della reincarnazione, ma non riuscii a trovare quasi nulla che trattasse del valore terapeutico della regressione.

Uscii dalla biblioteca più sconfortato di quando vi ero entrato. Com'era possibile? Grazie alla mia esperienza avevo ipotizzato che i ricordi delle vite passate potessero essere uno strumento terapeutico efficace nel trattamento di un ampio spettro di sintomi psicologici e fisici. Perché nessun altro aveva descritto niente del genere? Perché nella letteratura scientifica non si accennava mai a ricordi di vite passate riemersi durante sedute di ipnoterapia? Mi sembrava impossibile di essere l'unico ad avere avuto esperienze del genere. Sicuramente anche altri professionisti ne avevano avute.

Con il senno di poi, mi rendo conto solo ora che cercavo qualcuno che avesse già fatto il lavoro che avrei poi intrapreso. In quel periodo mi chiedevo soltanto se esistessero altri psichiatri timorosi, come me, di farsi avanti. Terminate le mie ricerche, infatti, ero diviso tra la forza e la concretezza delle mie esperienze dirette e la paura che le mie idee e le mie nuove convinzioni sulla vita dopo la morte e sulle figure dei Maestri non fossero personalmente e professionalmente «accettabili».

Decisi allora di cercare aiuto presso un'altra disciplina. Ricordavo, grazie al corso di Storia delle religioni frequentato alla Columbia University, che le principali fedi orientali, l'induismo e il buddismo, si fondano sulla reincarnazione e vedono il concetto di vita precedente come un aspetto integrante della realtà. Avevo imparato anche che la tradizione islamica dei Sufi sviluppa il tema della reincarnazione con poesie, danze e canti.

Non potevo credere che nel corso di migliaia d'anni, nell'intera storia delle religioni occidentali, nessuno avesse scritto una riga su esperienze analoghe alla mia. Non potevo essere stato il primo ad avere queste informazioni. In seguito venni a sapere che, sia nell'ebraismo che nel cristianesimo, le radici della reincarnazione sono molto profonde.

Nell'ebraismo, il concetto fondamentale di reincarnazione, detta *gilgul*, esistette per migliaia di anni e rimase uno dei pilastri della fede ebraica fino a metà del XIX secolo, quando l'esigenza di «modernizzarsi» e di farsi accettare dalle società occidentali, più scientifiche, sconvolse le comunità ebraiche dell'Europa orientale. L'idea di reincarnazione fu dunque diffusa e di primaria importanza fino a quel momento, meno di due secoli fa, e, nelle comunità ortodosse e chassidiche, è ben viva ancora oggi. Del resto la Cabala, un'opera di mistica ebraica che risale a migliaia di anni fa, è ricca di riferimenti alla reincarnazione e il rabbi Moshe Chaim Luzzatto, uno degli studiosi ebrei più grandi degli ultimi secoli, nella sua opera *Le vie di Dio* riassunse così il concetto di *gilgul*:

> Un'anima può reincarnarsi per un certo numero di volte in diversi corpi e in questa maniera può correggere il danno compiuto in precedenti incarnazioni. Similmente può raggiungere la perfezione che non riuscì a raggiungere nelle precedenti incarnazioni.

Nella storia del cristianesimo, scoprii che alcuni riferimenti alla reincarnazione, presenti originariamente nel Nuovo Testamento, erano stati espunti dall'imperatore Costantino nel IV secolo, quando il cristianesimo divenne la religione ufficiale dell'Impero romano. Probabilmente l'imperatore pensò che il concetto di reincarnazione minacciasse la stabilità dell'impero: i cittadini che ritenevano possibile avere un'altra vita potevano essere meno ligi e osservanti delle leggi di quelli che credevano in un unico Giudizio universale.

Nel VI secolo, il Secondo concilio di Costantinopoli ufficializzò l'atto di Costantino, definendo la reincarnazione un'eresia. Come Costantino, anche la Chiesa temeva che l'idea di una vita precedente, concedendo ai fedeli più tempo per cercare la salvezza, potesse minare il suo potere. Tutti concordarono che la minaccia del Giorno del giudizio fosse un deterrente necessario per mantenere comportamenti accettabili.

Tuttavia, prima del Concilio di Costantinopoli, nel cristianesimo primitivo, padri della Chiesa come Origene, Clemente Alessandrino e san Girolamo, avevano accettato il concetto di reincarnazione, come pure gli gnostici. Inoltre, nel XII secolo, i catari, in Italia e nella Francia meridionale, vennero perseguitati come eretici perché credevano nella reincarnazione.

Mentre cercavo di riorganizzare tutte le informazioni raccolte, capii che, al di là della reincarnazione, catari, gnostici e cabalisti avevano un'altra idea in comune: quella che l'esperienza personale diretta, che trascende ciò che vediamo e comprendiamo con la nostra razionalità o ciò che è insegnato dalla struttura religiosa, sia una fonte inesauribile di saggezza spirituale e stimoli potentemente la crescita spirituale e personale. Purtroppo, dato che le pene per convinzioni non ortodosse erano severe, questi gruppi impararono a tenerle segrete. La repressione degli insegnamenti sulle vite passate fu politica, non spirituale.*

Così cominciai a capirne di più sui «perché»: io stesso temevo di poter essere punito per le mie convinzioni se le avessi rese pubbliche. Tuttavia sono convinto che tutti abbiano il diritto di avere accesso agli strumenti per crescere e curarsi e so, grazie alla mia esperienza clinica, che la regressione a esistenze passate può guarire e trasformare la nostra vita. So anche che i miei pazienti diventano «migliori», partecipano più attivamente alla vita sociale e familiare e hanno tanto più da offrire.

Anche dopo la pubblicazione di *Molte vite, molti maestri*, però, mi aspettavo delle ritorsioni. Mi aspettavo che la classe medica mi ridicolizzasse, che la mia reputazione venisse infangata e persino che la mia famiglia ne soffrisse. I miei timori erano infondati. So, per sentito dire, che qualche collega

* Cfr. Cranston e Head, *Reincarnation. The Phoenix Fire Mistery*, un eccellente studio sulla storia del trattamento politico e sociale dell'idea di reincarnazione in Occidente.

isolato ha sibilato frasi del tipo «quel povero diavolo di Brian, gli manca qualche venerdì», ma non ho affatto perso amici e colleghi, anzi ne ho guadagnati. Ho anche cominciato a ricevere lettere meravigliose da psichiatri e psicologi di tutto il paese: anche loro avevano avuto esperienze simili, ma non avevano osato pubblicizzarle.

È stata una lezione capitale: ho accettato il rischio di presentare le mie esperienze al pubblico e al mondo accademico e ne ho ricevuto in premio riconoscimento e accettazione. Inoltre ho imparato che la conoscenza non si acquista sempre e solo leggendo studi e ricerche nelle biblioteche, che proviene anche dall'esplorazione delle proprie esperienze. L'intuizione può portare alla conoscenza, entrambe si possono incontrare e alimentare a vicenda. Questo è accaduto a me.

Vi racconto questa storia perché i vostri dubbi – il «tiro alla fune» tra la conoscenza esperienziale e quella intellettuale – potrebbero essere simili ai miei. Molte persone hanno la vostre stesse esperienze e convinzioni, probabilmente più di quante possiate immaginare, e hanno timore di comunicarle per i vostri stessi motivi. Altri potrebbero decidere di esprimerle, ma solo in privato. L'importante è mantenere una mente aperta e sgombra da preconcetti: non permettete che dogmi e precetti religiosi altrui minaccino la vostra esperienza personale e la percezione della realtà.

L'idea di vite precedenti suscita un altro timore, anche se facilmente superabile. Infatti credere nei fenomeni paranormali è considerato «bizzarro», mentre tali esperienze sono universali. Fate un piccolo sondaggio tra i vostri amici e familiari, chiedete loro se nessuno abbia mai avuto un sogno premonitore o un'altra esperienza di questo tipo. I risultati potrebbero sorprendervi.

Di certo io sono rimasto sorpreso. Due mesi dopo la pubblicazione di *Molte vite, molti maestri*, sono stato invitato a un incontro informale da un gruppo letterario di Miami Beach composto da dieci signore. Questo circolo si incontrava regolarmente da dodici anni per discutere dei libri più diversi, soprattutto di bestseller. Le sue socie non erano mai state molto interessate alla metafisica, ma, dato che ero del posto ed ero disposto a incontrarle, decisero di leggere il loro primo libro di metafisica in dodici anni. La sera dell'incontro il «club letterario» era composto da dieci donne, che facevano parte della media borghesia e costituivano un segmento abbastanza rappresentativo della popolazione.

All'inizio della riunione, chiesi a ognuna di loro quali idee avesse avuto sulla reincarnazione e sulla vita dopo la morte prima di leggere *Molte vite, molti maestri*. Tre (il 30%) credevano nella reincarnazione. Sei (il 60%), comprese le prime tre, nella vita dopo la morte, e quattro (il 40%) pensavano che non esistesse nulla dopo la morte del corpo. Questi dati erano molto vicini alla media nazionale americana rilevata dal sondaggio Gallup.

Quando domandai loro se avessero mai sperimentato dei fenomeni paranormali in prima persona, rimasi sorpreso dalla varietà e dalla qualità delle risposte. Tengo a precisare che non si trattava di un campione preselezionato, favorevole alla metafisica, con un vivo interesse per l'ESP, il paranormale o la reincarnazione. Era solo un gruppo di dieci persone alle quali piaceva leggere e discutere.

La madre di una delle socie aveva visto in sogno sua nonna, anziana ma non malata, avvolta da una luce radiosa e brillante, bianco-dorata, e l'aveva sentita dire: «Ora sto bene, non preoccuparti per me. Devo lasciarti. Abbi cura di te». Il giorno dopo seppe che sua nonna era morta durante la notte, in una città lontana.

Un'altra signora aveva sognato un anziano parente, di cui non aveva più notizie da moltissimo tempo, che le era apparso con il petto insanguinato. A sua insaputa, l'anziano parente aveva subito il giorno prima un intervento a cuore aperto.

Un'altra ancora faceva dei sogni ricorrenti su suo figlio che, pur godendo in realtà di ottima salute, sembrava seriamente ferito. La signora si vedeva in una stanza d'ospedale, dove una voce forte e misteriosa irradiava tutt'intorno le parole «Farà ritorno da te», ed era confusa, perché il giovane del sogno, che lei sapeva essere suo figlio, aveva i capelli molto più scuri del normale. Fece lo stesso sogno più volte nell'arco di un mese e, alla fine di questo periodo, il ragazzo fu travolto da un'auto mentre andava in bicicletta e rimase gravemente ferito. In ospedale la donna dichiarò ai medici preoccupati di essere certa della guarigione del figlio perché così le aveva assicurato la voce. Intanto il ragazzo, con il capo completamente fasciato, migliorava lentamente. Quando gli furono tolte le bende, la madre vide che i suoi capelli, che erano stati rasati, erano ricresciuti più scuri. Non fece mai più quel sogno.

Un'altra signora parlò del figlioletto di due anni, che sembrava possedere una conoscenza enciclopedica di fatti di cui non aveva mai sentito parlare. «Deve essere già stato qui una volta» commentò con le amiche.

Un'altra ancora raccontò di un suo intimo amico, dentista, che sembrava avere un particolare talento per evitare gli incidenti stradali. Una sera, all'uscita di un ristorante, stavano per attraversare la strada in compagnia di molti altri amici, quando il dentista si mise a gridare «Restate tutti sul marciapiede», spingendoli indietro con le braccia stese. Non aveva la minima idea del perché lo stesse facendo, ma un attimo dopo un'automobile sbucò da un angolo e sfrecciò a tutta velocità esattamente di fronte a loro.

Alcune settimane dopo, il dentista stava tornando a casa in macchina ed era seduto sul sedile di fianco alla moglie che guidava. Stava sonnecchiando e non guardava fuori dal finestrino. «Non partire subito quando scatta il verde» farfugliò all'improvviso mentre la moglie si stava fermando al semaforo. «Una macchina passerà col rosso.» Lei lo ascoltò. Di lì a pochi secondi il semaforo diventò verde e una macchina attraversò l'incrocio senza rispettare il rosso. I due rimasero scioccati, ma ancora vivi.

A un'altra socia, mentre si dedicava alle faccende domestiche, balenò improvvisa alla mente la convinzione distinta e lampante che un suo vecchio amico si fosse appena suicidato. Da mesi non pensava a lui e non aveva mai avuto sentore di problemi emotivi o di pensieri di autodistruzione, ma quest'idea era così chiara, così poco frutto dell'emozione, così convincente, che sembrava un dato di fatto più che un pensiero peregrino. Più tardi venne a sapere che era tutto vero. Il suo amico si era ucciso proprio quel giorno.

C'erano parecchi altri casi di esperienze intuitive e sorprendenti come queste: molte signore riferirono di sogni premonitori; altre di sapere in anticipo chi stesse telefonando; altre ancora di aver provato sensazioni di déjà vu, oppure di intuizioni, pensieri e affermazioni contemporanei a quelli del marito.

Il fatto più sorprendente, però, fu un altro: nei dodici anni in cui il gruppo si era riunito, le socie non avevano mai detto una sola parola su queste loro esperienze «paranormali», avevano paura di essere considerate strane o addirittura pazze. Tuttavia si tratta di donne normalissime che hanno sperimentato fenomeni ugualmente normali. Non è strano o da pazzi fare queste esperienze: tutti noi le facciamo, ci limitiamo a non parlarne, né con amici né in famiglia.

In un certo senso, ripercorrere le proprie vite passate è solo uno dei modi in cui si può sperimentare qualcosa di molto comune ma molto prezioso: l'intuizione. Una mente rilassata e concentrata nello stato ipnotico spesso è in grado di giungere all'intuizione e alla saggezza dell'inconscio meglio di quanto non faccia una mente normalmente «vigile», che riceve solo flash casuali e spontanei. Se mai avete avuto un'esperienza intuitiva, un flash che vi ha attraversato la mente per poi avverarsi, sapete bene quanto possa essere preziosa e corroborante.

Rievocare le proprie vite passate fa lo stesso effetto: si prova la sensazione di ricordare, di guidare se stessi e di guarire in un modo che non si può spiegare né dimostrare. Semplicemente accade, e fluisce. Se, grazie alla terapia della regressione, ci si sente meglio fisicamente, una sintomo migliora, una condizione emotiva si risolve, o rinascono la sicurezza in se stessi e la serenità verso la vita – tutti risultati molto comuni – non è necessario interrogarsi sulla validità logica della propria esperienza. Si sa bene, invece, di aver ricevuto la forza di dare una svolta alla propria vita o di avere intuizioni decisive e tangibili su di sé e sugli altri.

I sogni premonitori sono un esempio particolarmente comune di una capacità che abbiamo tutti e che potremmo sviluppare. Poco tempo dopo che lo Stato della Florida ebbe istituito il gioco del lotto a sei numeri, con premi miliardari, un sogno molto insolito fece vincere un premio di più di dieci milioni di dollari a un uomo del New Jersey. In un'intervista al vincitore, riportata da un giornale della Florida, si raccontava come sua figlia, morta da circa un mese, gli fosse apparsa in sogno e gli avesse consigliato di fare una puntata.

«Mia figlia mi disse: "Perché non giochi i miei numeri?". Aggiunse: "Vorrei portarti un po' di felicità".»

Suo padre, il vincitore, un agente immobiliare sessantunenne, si era trasferito in Florida da qualche settimana con parte della famiglia nel tentativo di ricominciare una nuova vita dopo la tragica e improvvisa scomparsa della figlia ventitreenne, morta in seguito a una caduta da una rupe alta quasi sessanta metri nel New Jersey. Dopo essersi risvegliato dal sogno, l'uomo ricordò che nella macchina della figlia era stato trovato un biglietto della lotteria del New Jersey. Pensò si trattasse di una cosa molto strana, ma decise comunque di telefonare a casa per avere i numeri di serie del biglietto: 2, 6, 11, 14, 31 e 34. Il giorno stesso dell'estrazione, il padre, la madre, due figlie e un figlio, giocarono quei numeri in Florida. Sono state calcolate le probabilità di vittoria: quattordici milioni contro uno. La famiglia vinse.

«Mi sentivo strano» dichiarò il padre. «Ero sorpreso e non lo ero. È difficile da spiegare.»

Quello stesso mese a Homestead, sempre in Florida, un uomo vinse più di undici milioni di dollari grazie ai numeri: 1, 2, 3, 13, 28 e 48. Il vincitore, un meccanico cinquantottenne, non aveva mai giocato al lotto, neanche a Cuba, suo paese d'origine. Un martedì notte sognò che sua madre, ormai morta, gli consigliava di puntare quei numeri. L'estrazione doveva avvenire sabato, mercoledì l'uomo giocò, e vinse.

I sogni premonitori, oltre a essere molto frequenti, sono anche molto reali. Ne sono convinto non solo per le mie recenti ricerche sui fenomeni paranormali, ma anche per la mia esperienza più che ventennale come ricercatore in questo campo.

La legittimazione delle esperienze di premorte (NDE, *Near Death Experience*), raggiunta grazie agli studi di prestigiosi esperti tra cui citiamo Raymond Moody, Elisabeth Kübler-Ross, Kenneth Ring e Melvin Morse, offre anche un punto di vista intuitivo e pragmatico secondo cui le vite passate e il loro ricordo sembrano logici e in armonia sia con l'intelletto che con l'intuito. Inoltre pone nella giusta prospettiva un'altra esperienza umana, molto comune e di solito tenuta segreta, che spesso conferma indirettamente i risultati delle ricerche sulla regressione.

Shirley ha sessantacinque anni ed è una dei pochi sopravvissuti a un incidente aereo in cui perirono più di centosettanta passeggeri. Fu ritrovata in una palude, bloccata al suo sedile sbalzato fuori dalla fusoliera dell'aereo, gravemente ferita, con fratture multiple e danni agli organi interni.

Quando fu ricoverata in un centro traumatologico, Shirley aveva una febbre altissima, oltre 41°C, e potenzialmente pericolosa, poi ebbe delle convulsioni e quindi entrò in coma. Subentrò infine un arresto cardiorespiratorio, con blocco della respirazione e del battito cardiaco.

Mentre l'équipe medica continuava nell'eroico sforzo di riportarla in vita, Shirley ebbe un'esperienza di premorte: fluttuando fuori dal proprio corpo, incontrò uno stormo di colombe bianche che la guidò verso una bellissima luce in lontananza. Era una sensazione meravigliosa. Durante il viaggio, Shirley si volse indietro e vide i medici e gli infermieri che si stavano impegnando allo spasimo intorno al suo corpo. Riusciva a distinguere chiaramente quali ossa fossero fratturate come se stesse guardando una radiografia.

Girandosi di nuovo verso la luce che la chiamava, pensò: «Quanto vorrei che queste colombe parlassero».

A questo punto udì una voce calma e rasserenante che proveniva dalla luce e le diceva che la sua ora non era ancora venuta.

Shirley si oppose: «Ma il mio corpo è massacrato. Non voglio tornare a quel dolore terribile».

La voce la rassicurò: «Devi riportare il messaggio che la pace è amore e l'amore è saggezza». E aggiunse che, con tale messaggio, avrebbe fatto del bene a molte persone.

Shirley ritornò nel proprio corpo. I medici erano stupefatti. Erano passati quindici minuti da quando aveva esalato l'ultimo respiro e il suo cuore aveva smesso di battere. In seguito comunicò a tutti il suo messaggio, e i suoi familiari attaccarono dei cartelli nella stanza. Dicevano:«Pace, Amore, Saggezza».

Shirley udì la voce ancora una volta, quando i medici le rivelarono che, con ogni probabilità, sarebbe rimasta completamente paralizzata.

«No!» protestò. «Ritornate fra una mezz'ora e ve lo dimostrerò.»

Dopo che se ne furono andati, Shirley chiuse gli occhi e visualizzò la luce che aveva visto durante l'esperienza premorte. Allora risentì la voce: «La guarigione ti verrà da dentro, dalla tua interiorità».

Al ritorno dei dottori, Shirley disse loro che la sua guarigione sarebbe venuta da dentro di lei e li invitò a osservarle i piedi. Poi richiuse gli occhi e si concentrò sulla luce. Lo scetticismo dei medici fu completamente sopraffatto quando Shirley mosse un piede. Da allora il processo di guarigione è stato costante.

Secondo il sondaggio Gallup, oltre otto milioni di americani, tra cui molti bambini, hanno sperimentato la premorte. I resoconti di queste esperienze presentano una grande coerenza logica e sono ben documentati. Solitamente l'individuo prossimo alla morte si stacca dal proprio corpo e «osserva», fluttuando a una certa altezza, gli sforzi per salvarlo e riportarlo in vita. Subito dopo, intravede una luce brillante o uno «spirito» luminoso o talvolta un parente defunto. Spesso sente dei suoni o della musica e quindi entra in un tunnel che conduce alla luce o alla figura luminosa. Il dolore è scomparso, lasciando il posto a un senso di grande pace e serenità. In genere, chi ha sperimentato la premorte non vuole rientrare nel proprio corpo, ma se compiti, doveri e debiti sulla terra non sono stati assolti, vi fa ritorno, percependo di nuovo il dolore e altre sensazioni fisiche. A questo punto, però, tutti hanno la certezza che la vita non termina con la morte fisica, e questa non fa più paura.

Raymond Moody, medico affermato e autore di *Life After Life. Reflections on Life After Life* e *The Light Beyond*, mi accennò a qualche particolare tratto dai suoi duemila colloqui con persone che avevano avuto esperienze di premorte. I soggetti descrivevano la tipica sensazione di «galleggiamento» al di sopra del corpo. Molti sapevano in anticipo ciò che stavano per dire i medici e gli infermieri presenti. Chi aveva tentato di toccare i medici o le spalle degli infermieri ne aveva trapassato il corpo con la propria mano incorporea. Il contatto fisico era impossibile.

«Quindi accedono a una nuova realtà trascendente» continuò il dottor Moody. «Si sentono completamente avvolti dall'amore nel momento stesso in cui trovano la luce brillante, di cui sopportano benissimo la vista.»

Di solito, durante un'esperienza di premorte, viene passata in rassegna la propria vita con una panoramica di azioni, comportamenti e atti che appaiono contemporaneamente, al di fuori del tempo, con colori brillanti e in tre dimensioni. Inoltre, lo «spettatore» percepisce le emozioni delle persone che ha aiutato, ferito, amato o odiato. Spesso uno o più spiriti lo accompagnano nel corso della visione.

Un intervistato dal dottor Moody, un pastore le cui omelie puzzavano un po' troppo di zolfo e fiamme infernali, esaminando la propria vita, assistette a uno dei suoi tremendi sermoni dal punto di vista di un bambino di nove anni che ascoltava la funzione tremando di terrore. Prima di allora, l'ecclesiastico conosceva il bimbo solo superficialmente, ma ora avvertiva tutta l'intensità della sua paura, oltre all'effetto, nettamente poco spirituale, della sua omelia sull'assemblea dei fedeli.

A questo punto, lo spirito che osservava la sua vita con lui commentò serenamente: «Ho l'impressione che non farai più di queste cose».

Il pastore, parlando con il dottor Moody, ribadì: «Ero molto sorpreso che Dio non si interessasse della mia teologia!».

Il dottor Melvin Morse, di Seattle, pediatra e autore di *Closer to the Light*, dal 1983 registra meticolosamente ogni testimonianza di premorte nei suoi piccoli pazienti, e ha raccolto quasi cinquanta casi. I bambini che hanno avuto esperienze di premorte, ne parlano in modo molto simile agli adulti: descrivono il distacco dal corpo, il librarsi nel vuoto e l'essere attratti da una luce brillante e accogliente. L'effetto delle esperienze di premorte sui bambini è altrettanto profondo e sconvolgente quanto sugli adulti. Essi apprendono che la vita ha uno scopo. Essi «venerano la vita e vedono i legami che si intrecciano e percorrono l'universo». Rivedendo i suoi pazienti a quasi otto anni di distanza dalle interviste originarie, il dottor Morse riscontrò che i bambini passati per esperienze di premorte erano degli adolescenti molto più maturi dei coetanei, avevano legami familiari eccellenti, non facevano uso di droghe, non avevano uno spirito ribelle né comportamenti sessuali inappropriati.

Il dottor Kenneth Ring, fondatore ed ex presidente dell'Associazione internazionale per gli studi sulla premorte, cattedratico di Psicologia della University of Connecticut e autore di libri come *Life at Death* e *Heading Toward Omega*, assieme al dottor Morse, al dottor Moody e a me, ha tenuto una serie di discussioni nel corso di un recente congresso medico sulle esperienze di premorte e postmorte indetto a Los Angeles.

Il dottor Morse riferì che molti dei suoi pazienti pediatrici, sottoposti a interventi chirurgici in anestesia generale, avevano ascoltato conversazioni tra medici e paramedici durante l'esperienza di premorte.

Riportò anche il caso di un bambino che aveva vissuto un'esperienza di premorte all'età di nove mesi. All'età di tre anni e mezzo, il piccolo, mentre assisteva a una rappresentazione sacra, vide l'attore che impersonava Gesù. «Quello non è Gesù» protestò il bimbo. «Gesù l'ho visto quando ero morto.» Il bambino descrisse, elaborandolo, il tunnel che portava a un mondo di luce dove poteva «correre e fare le capriole con Dio».

«Questa era la sua visione del paradiso» aggiunse il dottor Morse. Inoltre accennò ai casi di altri tre o quattro pazienti pediatrici, che gli avevano raccontato di aver «incontrato delle anime in cielo che aspettavano di rinascere» durante la loro esperienza di premorte. «Questo causava in loro degli interrogativi» commentò il dottor Morse, «perché sembrava loro contrario alla religione, e tuttavia avevano incontrato queste anime.»

Il dottor Moody mi raccontò il caso, citato nel «Journal of Critical Care Medicine», di una bambina di meno di un anno che, in punto di morte, era stata riportata in vita. In seguito mostrò segni di ansia da separazione ogni volta che vedeva un tunnel. Quando aveva tre anni e mezzo, sua nonna si ammalò gravemente e la notizia della sua prossima scomparsa fu comunicata delicatamente anche alla bimba.

«Oh, la nonna dovrà attraversare il tunnel per vedere Dio come è successo a me?» chiese la piccola in modo del tutto innocente.

Il dottor Ring riferì che l'orientamento e il sostrato religioso non predispongono necessariamente alle esperienze di premorte, possibili a tutti indipendentemente dalla particolare fede. Inoltre confermò che le persone passate per un'esperienza di premorte cessavano completamente di averne paura. «Questo non si verifica con chi, pur arrivato sulla soglia della morte, non ha avuto un'esperienza di premorte» commentò il dottor Ring. «Quasi tutti, dopo aver avuto quest'esperienza, credono in Dio, anche coloro che precedentemente erano atei. Si interessano maggiormente alla vita, alla natura, all'ambiente. Sono meno critici verso se stessi e più disponibili verso gli altri. Sanno dare molto più affetto ... è l'amore che conta ... scoprono improvvisamente degli ideali di vita più alti. Danno più importanza alla spiritualità.»

Il dottor Ring dichiarò inoltre che, dal momento che le tecniche di rianimazione diventano sempre più sofisticate e sempre più persone ritornano dalle soglie della morte, il numero di casi di esperienze di premorte aumenterà, fornendo nuovi e importanti dati.

I pazienti che raccontano il proprio decesso nel corso di esistenze precedenti usano le stesse immagini, le stesse espressioni e le stesse metafore di bambini e adulti che hanno vissuto esperienze di premorte. Le analogie sono stupefacenti, anche se le descrizioni di vite passate provengono solitamente da soggetti in stato di trance ipnotica che non hanno alcuna familiarità con la letteratura sulle esperienze di premorte.

È davvero illuminante la somiglianza, riscontrata tra chi ha un'esperienza di premorte e chi ripercorre le proprie vite passate, nel cambiare scala di valori, prospettive e visione della vita. Non serve farsi travolgere da un camion o avere un arresto cardiaco per arrivare a una maggior consapevolezza spirituale, per diminuire le preoccupazioni materiali, per sviluppare un'indole più pacifica e attenta agli altri o per qualsiasi altro beneficio comune alla regressione a vite passate e alle esperienze di premorte.

Gli appartenenti a questi due gruppi sperimentano una diminuzione significativa della paura di morire ed esprimono la nuova e ferma convinzione che l'amore sia la cosa più importante.

Oltre al timore di essere esposti a ritorsioni e critiche, un terzo motivo di preoccupazione per chi è interessato a rievocare le proprie vite passate è la questione della veridicità. Esiste una prova oggettiva delle esistenze precedenti? Sono state condotte ricerche sulla validità di questo tipo di ricordi di vite precedenti? A volte questi interrogativi assillano chi ha già sperimentato la regressione. È possibile che tutto ciò sia vero? si chiedono. È possibile che mi sia inventato ogni cosa?

Il dottor Ian Stevenson, professore e presidente onorario del Dipartimento di Psichiatria della University of Virginia, ha raccolto e documentato oltre duemila casi di bambini che hanno avuto esperienze simili alla reincarnazione. Molti di loro erano xenoglossi, erano cioè in grado di parlare lingue straniere, spesso antiche, a cui non erano mai stati esposti. Anche se molto piccoli, conoscevano particolari specifici e dettagliati su città e famiglie a centinaia o migliaia di chilometri di distanza e su fatti verificatisi decine di anni prima. La metà di loro proveniva da paesi occidentali, non dall'India, dal Tibet o da altri paesi asiatici dove credere nella reincarnazione è comune. Infine molti aspetti di questi casi sono stati accuratamente analizzati e suffragati dall'équipe di ricercatori del dottor Stevenson.

Anche se sono uno psichiatra per adulti, talvolta i genitori di bimbi che sembrano avere dei ricordi relativi a vite passate si rivolgono a me, offrendomi la possibilità unica di intervistare i loro figli.

Dei genitori mi hanno raccontato che il loro figlio parlava francese. Il piccolo aveva iniziato a dire parole e frasi in francese fin dall'età di due o tre anni. Era forse la prova di una qualche memoria genetica, si chiedevano i genitori, dato che avevano qualche avo francese? Tuttavia nessuno dei due conosceva quella lingua, e il bambino non frequentava nessuno che la parlasse: nessun parente, domestico, vicino o amico sapeva il francese.

Dopo aver approfondito la questione con i genitori, cercai di far capire loro che la xenoglossia del figlio forse era dovuta al ricordo di una vita passata più che a una memoria genetica. Dissi loro che il bambino mi ricordava molto alcuni casi del dottor Stevenson. Era certamente possibile che, come tutti, avesse accesso a un inconscio collettivo, a una specie di flusso di informazioni universali, tra cui storia, lingue, simboli archetipici ed eventi passati, ma mi sembrava più probabile che avesse appreso il francese in una vita precedente.

Una madre, avvocato, si era rivolta a me perché era estremamente preoccupata dello «strano» comportamento della figlia di quattro anni. L'ansia era tale che aveva addirittura pensato di affidarla a un istituto psichiatrico. Tutto era iniziato quando la donna aveva acquistato certe monete antiche e, giocando con la bambina, fino ad allora brillante e normalissima, ne aveva trovata una di forma irregolare particolarmente inusitata.

La piccola aveva afferrato immediatamente la moneta, esclamando: «Questa la conosco. Non ti ricordi mamma quando ero grande e tu eri un ragazzo e noi avevamo questa moneta? Ne avevamo tante».

Da allora la bambina aveva cominciato a dormire con la moneta e a parlare sempre più spesso di un altro tempo; tanto che uno psicologo amico di famiglia temeva fosse psicotica. Quando ebbi maggiori dettagli, rassicurai la famiglia: non si trattava di un caso di psicosi; la piccola stava semplicemente ripercorrendo una vita precedente, in cui lei e la madre erano vissute insieme e si erano conosciute. Con molta pazienza e comprensione, la figlia ritornò ben presto al suo comportamento «normale» e l'ansia della madre scomparve.

Non sono gli unici casi di questo genere che io e altri abbiamo documentato. Bambini che dichiarano di conoscere fatti, dettagli, lingue o altri segni riconducibili a una vita precedente sono esempi affascinanti di questa realtà. Tali pazienti, infatti, hanno un'età che impedisce loro di aver studiato ciò di cui parlano e non sono in grado di abbellire o distorcere i fatti, il che rende le loro informazioni oltremodo interessanti.

So di un bambino di tre anni che riesce a riconoscere aeroplani della Seconda guerra mondiale, a fornirne delle caratteristiche tecniche e a descrivere se stesso mentre li pilotava. Come è possibile che conosca queste cose? Ho notizia di una bambina che è capace di montare un fucile. Un'altra può descrivere nei dettagli più minuti una grande slitta che si rovesciò su di lei quando era adulta.

Esistono molti altri esempi di questi fenomeni, migliaia nella sola letteratura specializzata. Chiedete a un bambino di tre anni che cosa ricorda di quando era grande: la risposta potrebbe lasciarvi a bocca aperta.

A causa della mia esperienza come psichiatra, raffronto istintivamente i ricordi della vita passata di un paziente con il linguaggio psicoanalitico dei sogni, ricco di contenuti nascosti e metaforici. Così sono giunto a fare delle scoperte interessanti confrontando l'immaginazione e la metafora con veri e propri ricordi di vite passate. Inoltre ho paragonato la terapia della regressione con la tradizionale tecnica freudiana di riscoperta dei ricordi infantili.

Ascoltando i miei pazienti, ho constatato che la miscela fluida, viva, caleidoscopica di esperienza reale, metafora e distorsione che si verifica con la regressione è analoga a quella che caratterizza i sogni. Durante una seduta di regressione, il mio compito spesso si limita a districare e individuare questi elementi, ad analizzarli e a scoprire la trama dell'intero «arazzo», proprio come accade in una normale seduta di analisi che potrebbe riguardare dei ricordi dell'infanzia.

La differenza sta tutta nelle proporzioni. Nei sogni il 70% del materiale onirico è simbolo e metafora, il 15% è ricordo vero e proprio e il rimanente 15% è distorsione o finzione. Nella rievocazione di vite passate, invece, l'80% circa è vero e proprio ricordo, il 10% è simbolo e metafora e il rimanente 10% distorsione o finzione. Se per esempio ritornate alla vostra infanzia e descrivete il vostro asilo, potreste ricordare il nome della maestra, i vostri vestiti, la carta geografica appesa al muro, i vostri amici e la carta da parati verde in classe. Verificando le risposte, potrebbe risultare che la carta da parati era gialla, mentre era verde in prima elementare, ma ciò non sminuisce la validità degli altri ricordi. Allo stesso modo, la memoria di una vita passata può presentare aspetti da «romanzo storico», il nucleo centrale della verità può essere circondato da elaborazioni, fantasie e distorsioni, ma il nocciolo resta sempre un ricordo preciso e concreto. Lo stesso fenomeno si verifica con il materiale onirico e con le regressioni entro i confini di questa vita. Tutto serve: la verità è comunque presente.

Uno psicoanalista tradizionale potrebbe chiedersi se il ricordo di una vita passata non possa essere una fantasia, oppure una proiezione, l'abbellimento di un problema o di un trauma infantile. La mia esperienza, però, come quella di altri terapeuti che mi hanno comunicato i loro casi, mi dice che è tutto il contrario. Ricordi, impulsi ed energie di esistenze precedenti sembrano ricreare il «modello» infantile di questa vita, che presenta quindi un'altra ripetizione o il fondersi di schemi preesistenti.

Effettivamente, il fenomeno per cui informazioni e dati di vite precedenti riemergono nell'infanzia e si ripetono è molto simile al concetto di nevrosi e di compulsione ripetitiva descritto da Freud (traumi, «nascosti» nel passato, che causano sintomi nel presente e che devono riemergere perché tali sintomi si risolvano). A tal proposito, il mio unico punto di disaccordo con l'analisi tradizionale è che lo spazio temporale di Freud era troppo esiguo e limitato e che è necessario spingersi indietro, oltre questa vita, per raggiungere le radici di alcuni problemi e ottenere risultati terapeutici coerenti, efficaci e rapidi.

Come terapeuti o come pazienti, non è necessario credere in esistenze precedenti o nella reincarnazione per usare la terapia della regressione. Sperimentatela. Come mi sono sentito dire da più di un collega: «Non so ancora se credere in questa storia della vita passata, ma la uso e funziona, eccome!».

IV

Guarire il corpo, guarire la mente

Elaine, un'affermata psicologa di Miami, si è rivolta a me per sapere se fosse possibile alleviare un'affezione fisica cronica con la terapia della regressione. Per anni Elaine aveva sofferto a intermittenza di dolori lancinanti al collo, alle spalle e al dorso. Durante il primo colloquio, venni a sapere che, da sempre, aveva terrore dell'altezza, una forma di fobia monosintomatica. Ecco come, in seguito, descrisse la sua esperienza con l'ipnosi e come, di conseguenza, cambiò la sua vita: «Ero immersa nell'oscurità, nel buio, e mi resi conto di essere bendata. Poi riuscii a vedermi dall'esterno. Ero in cima a una torre di pietra, una di quelle che ci sono nei castelli. Avevo le mani legate dietro di me. Avrò avuto vent'anni e sapevo di essere un soldato sconfitto. Poi provai un dolore straziante alla schiena. I miei denti si serrarono, le braccia si irrigidirono e i pugni si chiusero. Mi stavano uccidendo con una lancia, la avvertivo mentre mi penetrava nella schiena, ma in segno di sfida non mi sarei lamentato. Poi mi sentii cadere e vidi l'acqua del fossato chiudersi sopra di me.

«Ho sempre avuto paura dell'altezza e dell'acqua. Quando ho terminato quella seduta ero uno straccio e lo rimasi per due giorni. Non potevo neanche toccarmi la faccia per il dolore insopportabile. Ma la mattina dopo, alzandomi, ho pensato "Qualcosa è cambiato. Qualcosa è cambiato davvero".»

I dolori alla schiena e l'acrofobia di Elaine erano scomparsi.

In una seduta successiva, Elaine ripercorse un'esistenza passata nella Francia del Medioevo, durante la quale era un ragazzo sui vent'anni miserabile, scoraggiato e sfortunato, a cui mancava la forza di emergere, di dire la sua, di migliorare la sua vita. Con distacco, Elaine descrisse gli stracci sudici che costituivano la sua unica veste. Le autorità infine lo accusarono di un crimine che non aveva commesso ma per cui occorreva un capro espiatorio: venne arrestato e impiccato nella pubblica piazza. Salì al patibolo profondamente disperato, ma anche sollevato di abbandonare quell'esistenza abietta.

Dopo quest'incontro, i dolori cervicali cronici scomparvero completamente, ed Elaine fu in grado di localizzare con esattezza una nuova area di crescita emotiva nel presente. Si rese conto che quella vita era causa della sua riluttanza a esprimere il proprio parere e a correre dei rischi. Decise allora di compiere il grande passo: mise in pericolo la propria reputazione professionale raccontando a giornalisti e colleghi ciò che aveva ricordato delle sue esistenze precedenti. E questa volta, invece di essere impiccata, le vennero tributati gli onori della stampa.

L'esperienza di Elaine dimostra come la regressione possa ampliare il repertorio di tecniche a nostra disposizione per esplorare quello che recentemente è stato definito «legame mente-corpo».

La terapia cui si è sottoposta Elaine è riuscita a spezzare sia il ciclo fisico che quello emotivo. Pur essendosi rivolta a me per curare dei sintomi fisici, Elaine non si è liberata solo di una condizione debilitante, ma anche di timori e paure inveterati. Inoltre, dopo aver scoperto un blocco – il timore di dire la verità – di cui era completamente all'oscuro, è riuscita a individuare e sviluppare una nuova area di crescita emotiva. Durante la terapia, si sono creati dei legami tra mente e corpo che hanno interagito sinergicamente, dando luogo a nuove occasioni di crescita e di integrità per un più alto livello di benessere.

È stato appurato da tempo che la mente ha una forte influenza sul corpo ed è responsabile di sintomi, patologie e persino decessi. In ogni ospedale i medici conoscono pazienti che, per un motivo o per l'altro, hanno abbandonato la volontà di sopravvivere e che, a dispetto di ogni possibile cura, si lasciano letteralmente morire. I pazienti animati da una grande volontà di vivere, invece, hanno un decorso molto migliore. Abbiamo appena iniziato a capire che i meccanismi fisici della «resa» e della «volontà di vivere» rappresentano i processi fondamentali del legame mente-corpo, un legame che si instaura, come nel caso dei dolori di Elaine, per raggiungere la guarigione. In questo capitolo verranno presentati altri casi di legame mente-corpo, di come si crei durante la terapia della regressione e di come riesca a risolvere una condizione patologica.

Alcuni dati forniti dalla Stanford University rivelano quanto i gruppi di sostegno siano decisivi per aumentare in modo significativo la qualità e la speranza di vita delle pazienti con cancro alla mammella. Ricercatori della Harvard University hanno provato che ci sono forme di meditazione capaci di allungare la vita degli anziani. Nel suo ottimo libro, *Head First. The Biology of Hope*, Norman Cousins ha documentato scrupolosamente delle ricerche, svolte dalla UCLA e da altre istituzioni, su una nuova area della medicina, detta psiconeuroimmunologia, che studia l'interazione tra psiche e sistema immunitario. Bernie Siegel, nei suoi notissimi *Love, Medicine and Miracles* e *Peace. Love and Healing*, ha descritto il legame mente-corpo e l'enorme potenziale terapeutico cui si ha accesso grazie a esso.

Gli studi condotti alla Pennsylvania State University hanno dimostrato che l'ipnosi può aumentare il numero di leucociti presenti nel sistema circolatorio. Molte pubblicazioni attestano la correlazione tra il miglioramento del rendimento atletico e le tecniche di visualizzazione. Parecchi medici o ricercatori hanno fatto ricorso all'ipnosi per eliminare la dipendenza dal fumo, dal cibo, dall'alcol e dalle droghe pesanti. Le tecniche di meditazione si sono rivelate ugualmente efficaci in più di un caso.

La terapia della regressione a vite precedenti può raggiungere gli stessi risultati. Dopo la mia prima esperienza con Catherine, l'ho usata con centinaia di pazienti e ho constatato che può guarire rapidamente sintomi fisici e psichici senza ricorrere a farmaci.

Non sono ancora in grado di descrivere con esattezza il processo con cui si guariscono affezioni fisiche, ma ho qualche idea. La cura potrebbe derivare dal semplice fatto di rievocare e rivivere il trauma iniziale, e agire dunque nello stesso modo in cui l'atto di riesaminare un trauma infantile risolve, secondo l'analisi tradizionale, disagi emotivi. In alternativa, la chiave potrebbe consistere nel credere nell'immortalità dell'anima; nel capire con chiarezza quali fattori scatenano la patologia; o ancora nella combinazione di tali fattori, comunque presenti nella terapia della regressione.

Per quanto possa solamente avanzare delle ipotesi sulle ragioni del successo della terapia della regressione, posso però documentarne i risultati. Nel corso della mia pratica professionale, ho osservato che la rievocazione di vite precedenti in stato di ipnosi può essere un elemento decisivo nel trattamento, nel miglioramento e persino nella risoluzione di forme patologiche e sintomatiche croniche, riconducibili in particolare a disfunzioni del sistema immunitario o con componenti psicosomatiche.

La terapia della regressione si è rivelata particolarmente efficace per curare dolori ai muscoli scheletrici, cefalee refrattarie a medicinali, allergie, asma, ulcere o dolori artritici dovuti a stress o a disfunzioni immunitarie. In alcuni casi ho addirittura riscontrato il recedere di affezioni cancerose o tumorali. Dopo aver seguito la terapia, molti pazienti non hanno più avuto bisogno di analgesici. Inoltre, mettere in luce il rapporto tra emozioni, disagio fisico e loro origine in una vita passata consente di alleviare profondi problemi emotivi.

La ricerca in questo campo è ancora agli inizi, tuttavia si può dire con certezza che la terapia della regressione vada ad affiancare efficacemente le terapie olistiche, quelle cioè che non si limitano a curare un singolo sintomo o una condizione, ma tendono a guarire l'essere umano nella sua interezza, mente e corpo.

Qualunque sia il segreto, gli effetti terapeutici e i benefici lasciano stupefatti.

Jack, un quarantenne, pilota di aerei cargo, si rivolse a me per una serie di problemi a livello fisico e psicologico. Fisicamente era afflitto da emicranie, artrite gottosa, e ipertensione; psicologicamente, reprimeva la sua irritazione per settimane per poi lasciarla scoppiare con rabbia. Inoltre, soffriva anche di una fobia monosintomatica molto particolare: ogni mattina, mentre allacciava la cintura di sicurezza e si preparava per il decollo, guardava ansiosamente e ripetutamente dal finestrino, osservando l'ala destra del suo velivolo come per accertarsi della sua presenza.

Poiché era stato per anni pilota nell'Aeronautica militare americana prima di impiegarsi nel campo commerciale, Jack era molto affidabile e responsabile quando volava. Non gli erano mai capitate situazioni di emergenza tali da giustificare il suo stato di ansia, ma ogni mattina, al risveglio, il suo pensiero andava subito all'ala destra e alla possibilità che si staccasse proprio quel giorno.

In terapia, Jack rievocò una serie di vite passate seguendo sia la tipologia classica sia quella dei momenti chiave. Durante la prima seduta ripercorse un'esistenza precedente in cui era una mandriano nel vecchio West morto, schiacciato da un masso, mentre attraversava a cavallo un passo montuoso. Rievocando la scena del decesso, Jack ricordò la sensazione di soffocamento per poi passare a un nuovo momento saliente di un'altra vita.

Stavolta scoprì che, durante la Seconda guerra mondiale, era stato un pilota tedesco, abbattuto per errore dalla contraerea tedesca mentre sorvolava la Germania. Nell'incidente l'aereo aveva perso l'ala destra e Jack era morto sul colpo quando si era schiantato al suolo. Rievocando la scena del decesso e il periodo di passaggio prima della vita successiva, Jack provò un forte senso di rabbia e frustrazione per quello stupido errore che gli era costato la vita e l'aveva costretto a lasciare la famiglia.

Dopo questa seduta, Jack si sentì enormemente sollevato, come se un enorme peso gli fosse stato tolto dal cuore: ora riusciva a spiegarsi l'angoscia irrazionale che lo tormentava. Nel giro di due settimane, notammo entrambi che la sua fobia era completamente scomparsa. Finalmente fu in grado di salire nella cabina di pilotaggio senza doversi girare per controllare terrorizzato l'ala destra dell'aereo. Inoltre, la rabbia per l'inutilità della sua precedente morte gli permise di far chiarezza sull'origine dei suoi frequenti scoppi d'ira.

Durante la seconda seduta, decidemmo di risalire alle origini della sua artrite gottosa. Appena ipnotizzato, Jack ritornò al momento chiave di una vita precedente: era caduto contro un muretto basso, ferendosi gravemente alle ginocchia. L'incidente gli aveva causato la rottura dei legamenti e la susseguente infezione lo aveva portato all'atrofia della gambe. Per il resto di quell'esistenza Jack fu un infermo, la rabbia e la malinconia diventarono i suoi stati d'animo abituali e morì di lì a poco.

Si era stabilito un altro collegamento tra il livello fisico e quello psichico.

Jack proseguì rievocando una vita molto antica, in cui era stato ucciso dal corno di un animale che gli aveva trapassato il cranio all'altezza del lobo occipitale per fuoriuscire appena sotto l'occhio destro, punto in cui si originavano le sue emicranie.

Da quel momento Jack non fu più tormentato da quei terribili mal di testa. Solo il tempo potrà dire se la terapia della regressione è riuscita a eliminare completamente le sue affezioni croniche, eppure c'è un netto miglioramento nel suo livello di benessere. L'artrite lo affligge meno; la sua irascibilità è stata soppiantata da una maggiore serenità; la sua scala di valori è mutata insieme alla sua visione del mondo, della vita e del suo scopo. Ora che la paura della morte ha cominciato a farsi meno opprimente, le cose che prima lo angustiavano e lo irritavano gli sembrano minuzie stupide e irrilevanti. È un risultato comune a molti pazienti dopo la terapia della regressione.

Selma ha quarantaquattro anni, possiede una tipografia e, come Jack, soffriva di diversi problemi fisici cronici. Tra l'altro era affetta da una lesione cancerosa alla vagina, per cui era stata operata più volte, che continuava a riformarsi e per cui usava, con scarsissimo effetto, una crema chemioterapica. Discutendo con me dei suoi precedenti medici e psicologici, Selma nominò un gran numero di problemi fisici ed emotivi: soffriva di allergie, eritemi cutanei e ulcere gastriche. A undici mesi di vita si era ustionata in modo molto serio alla coscia sinistra, le era stato praticato uno dei primissimi trapianti di cute in America, e poi era stata sottoposta a numerosi interventi, per un totale di quasi cinquecento punti di sutura. Quando Selma aveva quattordici anni, dopo aver subito un'ulteriore operazione chirurgica, il suo organismo reagì a tutti i medicinali che aveva assunto, facendole esplodere un fastidiosissimo eritema su tutta la superficie cutanea. A questo punto Selma cominciò a perdere le forze, divenne di salute cagionevole e sviluppò una fotofobia. Per di più in famiglia c'erano dei precedenti di cancro: la madre e la sorella ne erano morte nel giro di due anni, la prima per un tumore al cervello, la seconda al pancreas. A completare il quadro, da bambina Selma era stata violentata da uno zio.

Nonostante le notevoli difficoltà fisiche e psichiche, Selma riponeva molta fiducia nella terapia e sperava di dare una svolta alla propria vita. Durante la prima seduta, si vide come un tredicenne dai capelli scuri, che sembrava abitare in un villaggio medievale. Entrò in quella vita al momento del decesso, mentre un gruppo di cavalieri armati saccheggiava il suo villaggio. Un soldato gli immerse la spada nel petto e lui morì sul colpo. Il suo spirito abbandonò immediatamente il corpo, e lui avvertì una meravigliosa sensazione di serenità e sollievo mentre volteggiava, allontanandosi da quell'esistenza.

Selma quindi rievocò un'altra vita, svoltasi in Olanda qualche secolo fa, e raccontò come un parente, che viveva con la sua famiglia, le avesse usato violenza. Riconobbe in lui lo zio che l'aveva stuprata da bambina.

I dettagli concreti dei ricordi di Selma erano confusi e frammentari, ma la loro portata emotiva era vivida e drammatica per lei, soprattutto riguardo all'abuso sessuale. Verso la fine della seduta, Selma era calma e rilassata, anche mentre rievocava la violenza subita da parte dell'uomo che era ora suo zio. Provò un grande senso di sollievo e di chiarezza quando riuscì a dare unità a tutti questi particolari in una prospettiva di causa ed effetto. Via via che questo quadro si formava nella sua mente, Selma sembrava liberarsi dal residuo emotivo dei suoi traumi infantili.

Otto giorni dopo, quando ritornò nel mio studio per la seduta successiva, Selma mi disse che il suo tumore era regredito. La lesione, precedentemente refrattaria a ogni cura, si era ridotta drasticamente ed era molto meno dolorosa.

Selma mi raccontò anche che nel frattempo aveva sognato di una zia perita in un incendio all'età di sedici anni, molto tempo prima della sua nascita. Selma, fisicamente, assomiglia molto a questa zia che, come si vede dalle fotografie che le hanno mostrato i suoi familiari, aveva i suoi stessi nei. Dato che anche l'esperienza onirica è un mezzo comune per rievocare esistenze passate, discussi con lei il sogno prima di procedere con la regressione.

Quel giorno, Selma si vide lavorare come infermiera in un grande ospedale londinese, probabilmente nel secolo scorso. Mentre stava facendo il suo giro di controllo, un soldato entrò nella corsia e le sparò allo stomaco e al petto. Questa seduta fu particolarmente delicata, perché Selma rievocò l'episodio della propria morte prima di uscire dal corpo e librarsi in aria. Da allora, la sua ulcera cominciò a regredire. Ancora una volta era riuscita, sentendosene liberata, a ricostruire un nesso causa-effetto.

Grazie alla terapia della regressione, Jack e Selma hanno creato una connessione mente-corpo. Ambedue hanno scoperto che la terapia non curava solo le condizioni fisiche ma anche le ferite emotive. Durante tale terapia, infatti, nel momento stesso in cui la psiche guarisce il corpo, il corpo aiuta a sanare la psiche.

Altri terapeuti si sono messi in contatto con me per presentarmi il quadro clinico di loro pazienti che avevano sperimentato la regressione a vite passate. Il dottor Robert Jarmon di Spring Lake, New Jersey, mi ha scritto che una sua paziente, come Catherine, rievocava spontaneamente una precedente esistenza traumatica.* Anche lei guarì dei sintomi che

* Il dottor Jarmon inoltre pensava di essere il Robert Jarrod citato in *Molte vite, molti maestri*. Catherine, in stato di trance ipnotica, mi aveva detto che «Robert Jarrod» aveva bisogno di me, ma io non avevo idea di chi fosse, né di come avrei potuto aiutarlo. Lei non aveva saputo darmi altre informazioni. Inoltre, dato che parlava sempre con un fil di voce, non ero riuscito a distinguere bene quel nome e cercai di trascriverlo foneticamente. La cosa continua a inquietarmi: forse aveva davvero detto «Jarmon».

la affliggevano. Il caso del dottor Jarmon dimostra che dei problemi fisici ereditati da un'esistenza precedente si possono ripercuotere sulla vita attuale.

Il dottor Jarmon era ricorso all'ipnosi per far perdere peso a una paziente trentacinquenne di origine ebraica. Dopo due mesi di terapia, la donna cominciò ad accusare gravi dolori addominali e il dottor Jarmon, pensando ai sintomi di una gravidanza ectopica, condizione potenzialmente letale in cui il feto si sviluppa nella tuba di Falloppio anziché nell'utero, le consigliò una visita ginecologica. La parte adiacente all'ovaia destra era dolorante e gonfia, ma non si trattava di gravidanza; per quanto non avesse più le mestruazioni, infatti, tutti gli esami risultarono negativi.

Passarono cinque mesi e i sintomi persistevano, finché, durante una seduta di ipnosi riguardo a un problema di natura psicologica, il dottor Jarmon non le ordinò di «ritornare al momento in cui aveva avuto origine tutto». Il suo subconscio scelse il problema ginecologico.

Rimase di stucco quando la paziente descrisse una scena ambientata nel Medioevo in cui aveva diciannove anni, era incinta di cinque mesi ed era sul punto di morire perché «il bambino era dove non doveva essere». Con lei c'erano un prete e un medico.

«Cominciò a parlarmi come se fossi il prete» commentò il dottor Jarmon.

«Io le risposi. Quindi lei recitò l'Atto di dolore, parola per parola. Il respiro si fece sempre più fievole e lei descrisse la sua morte.»

Ma la donna era ebrea. Quando uscì dallo stato di ipnosi non ricordava nulla di quanto aveva detto e non aveva mai sentito parlare dell'Atto di dolore, recitato, come espiazione dei peccati, dai cattolici. I dolori addominali però erano scomparsi, e non si fecero più sentire. Quella sera stessa le ritornarono le mestruazioni.

La componente spirituale della terapia della regressione è di per sé fonte di guarigione. Quando i pazienti sono certi di non morire con il loro corpo, si rendono conto di avere una natura divina che trascende nascita e morte. La volontà di vivere, di guarire e di ritrovare la salute spesso si rafforza grazie a tali esperienze. I pazienti imparano a conoscere il grande potere che è in ognuno di noi, che ci aiuta a dar senso alla nostra vita a migliorare e a sfruttare il nostro potenziale divino. Diventano meno ansiosi, più rilassati e la loro energia può essere sottratta alla paura e alla sofferenza e usata per la cura.

La terapia della regressione sembra inoltre accrescere quel tipo di vigore, caratteristico della salute, che comporta una maggiore resistenza agli effetti debilitanti delle malattie croniche e un sistema immunitario più efficiente; favorisce la felicità, la serenità e la tendenza a vedere le difficoltà come una sfida e un'avventura. I pazienti che si sono sottoposti alla terapia per risolvere dei problemi fisici vedono aumentare le proprie speranze, vivono con gioia e pienezza, sono più indipendenti, dormono meglio e superano la depressione.

Dana si presentò a un mio seminario lamentando problemi alla gola: aveva l'impressione di avere qualcosa di traverso, spesso le sembrava di soffocare, andava soggetta a infezioni e stava perdendo la voce. Durante una regressione di gruppo, rievocò in modo molto vivido una vita precedente, nell'Italia del Rinascimento, in cui era un uomo che era stato pugnalato alla gola, apparentemente senza motivo.

Dopo il seminario, Dana fissò un appuntamento privato con me. Nel mio studio mi raccontò la sua storia: da bambina entrambi i genitori le avevano usato violenza. Sotto ipnosi ripercorse ancora l'episodio della morte del giovane italiano, questa volta con più distacco. Questa reazione è tipica: ogni volta che si rievoca una vita passata l'impatto emotivo è meno intenso e aumenta la possibilità di ricavare informazioni preziose dall'esperienza.

Durante la seduta, Dana scoprì di essere stata assassinata perché era a conoscenza di un segreto scottante che, per paura, non aveva divulgato. Questa volta continuò nel riesame della propria vita dopo aver ripercorso l'episodio della morte. Apprese così che, non dicendo la verità, sarebbe stata tormentata da un senso di soffocamento, e si sarebbe messa seriamente in pericolo.

Nel corso dell'incontro successivo, Dana rievocò una vita su un'isola del Pacifico, forse la Polinesia o le Hawaii, in cui era una giovane dotata di poteri psichici che si abbandonava completamente alle danze tribali. Era tanto assorbita dalla danza che, pur essendo un suo compito, non badò al fuoco e, quando questo cominciò a bruciare in modo incontrollato, trascurò di dare l'allarme al villaggio. L'intera comunità perì tra le fiamme e ne rimase vittima anche la donna che era ora sua madre, colei che le aveva usato violenza. Il cerchio era chiuso: ancora una volta non aveva parlato quando invece avrebbe dovuto.

Dopo queste sedute, Dana vide migliorare i suoi problemi alla gola, riuscì a inquadrare la figura della madre in una prospettiva molto più ampia e completa e raggiunse il distacco emotivo necessario a considerarla una persona con cui aveva interagito in maniera diversa in molte esistenze passate. In questo modo, fu in grado di svincolarsi dalle esperienze violente che le avevano lasciato il segno in questa vita. Il retaggio del passato si ridimensionò e non la influenzò più; Dana imparò di dover dire sempre la verità, sulla sua situazione familiare violenta o su un dettaglio minimo della propria vita, e che tenere dei segreti è pericoloso e rischioso.

Durante le sedute di regressione, il processo di guarigione non deve necessariamente toccare ogni aspetto del nostro essere. Talvolta si tratta solo di risalire all'origine fisica di un problema fisico. Se un paziente non sente il bisogno di analizzare i complessi problemi emotivi che stanno alla base del suo disagio fisico, non lo farà. La guarigione è semplice e diretta.

Le cefalee croniche sono fra le affezioni che rispondono meglio alla terapia della regressione. Mia moglie Carole soffriva da anni di emicranie premestruali. Come un orologio, ogni mese veniva assalita da questi insopportabili e dolorosi mal di testa, che la costringevano a letto per qualche giorno. Inoltre, dal 1976, anno in cui aveva accusato un colpo al collo in un incidente d'auto, le emicranie si erano esacerbate e, oltre ad accompagnare le mestruazioni, insorgevano invariabilmente ogni volta che giocava a tennis o faceva un certo tipo di movimento con il braccio destro. Ginecologi e neurologi le avevano detto che non esistevano cure, e che solo i farmaci potevano alleviarle il dolore.

Alla fine dell'estate 1988, Carole fu colpita da una serie di emicranie tanto violente che neppure la meditazione, capace talvolta di calmarle i dolori, sortiva alcun effetto. Mia moglie non voleva più assumere farmaci come i barbiturici, e quindi prese un appuntamento con un ipnoterapeuta per apprendere delle tecniche di ipnosi utili a calmare il dolore. Avevo già tentato una volta di ipnotizzare Carole, ma la vicinanza affettiva non consentiva un corretto e distaccato rapporto medico-paziente.

Carole scivolò nella trance ipnotica senza particolari aspettative. Dopo un periodo di rilassamento e di riduzione dello stress, il terapeuta la invitò a chiedersi il perché di queste emicranie. Una scena le si stagliò distintamente davanti agli occhi e Carole si vide correre per cercare di sfuggire a una folla inferocita. Era un povero contadino vestito di stracci sudici nell'Europa centrale di circa mille anni fa. La folla lo raggiunse e lo bastonò, punendolo per il suo credo eretico. Ricevette un colpo sopra l'occhio sinistro, nel punto esatto da cui si irradiavano le emicranie. Improvvisamente, nello studio del terapeuta, Carole sentì una fitta lancinante, sopra l'occhio sinistro, che si estese rapidamente a tutto il lato sinistro del viso. Carole sapeva di essere morta in seguito al colpo. Il terapeuta le ordinò: «Non hai più bisogno di provare questo dolore, lascia che svanisca». Il dolore scomparve immediatamente.

Non c'è modo di dimostrare la veridicità di questo ricordo relativo a una vita passata, ma Carole non ha più avuto queste intollerabili emicranie. Le fantasie e i sogni a occhi aperti non curano questo tipo di sintomi, mentre la terapia della regressione spesso lo fa.

Tricia, un ingegnere ventitreenne, soffriva di dolori all'articolazione temporomandibolare, emicranie e rigidità al collo. Durante una seduta, rievocò molto minuziosamente una vita pacifica e felice, trascorsa in una valle dell'Asia minore, in cui era un uomo, morto nell'893 a.C. Durante il racconto, quando le chiesi di guardarsi i piedi, mi descrisse i sandali che calzava. Ripercorse poi una vita successiva, in cui era vissuta in una caverna in Grecia. Questa volta, quando le domandai che calzature portasse, indossava dei sandali completamente diversi.

Descrisse poi un soldato che la sovrastava; era armato di giavellotto e glielo conficcò in mezzo agli occhi.

Mentre rievocava la sua morte, Tricia mi disse di aver sentito un dolore molto simile a quello delle sue emicranie. Dopo questa seduta la rigidità al collo e i dolori temporomandibolari scomparvero gradualmente, insieme alle emicranie, tanto che non dovette più ricorrere ad antidolorifici.

In alcuni casi, poter fare a meno dei farmaci è una vittoria tanto importante quanto la scomparsa del dolore. Alberto, un radiologo, soffriva da anni di spasmi e di forti dolori al dorso, refrattari a ogni cura. Se non fosse stato un uomo dalla forte personalità e un ottimista, sarebbe facilmente scivolato nella dipendenza dai potenti antidolorifici che assumeva durante gli attacchi di mal di schiena.

Entrato in trance ipnotica, Alberto rievocò due esistenze passate in cui era stato mortalmente ferito alla schiena. Una era particolarmente significativa: era un soldato, vissuto molti secoli fa in Europa, morto tragicamente durante una battaglia per una grave ferita, di cui rivisse il dolore lacerante, infertagli nel punto esatto da cui si irradiava il mal di schiena. Dopo la regressione, i dolori e gli spasmi cessarono rapidamente.

Ancora una volta, psiche e corpo avevano unito le loro forze per favorire la guarigione. Nel caso di Alberto il risultato fu ancora più circoscritto rispetto agli altri descritti sopra: quando i dolori scomparvero, la terapia raggiunse il suo scopo.

Tuttavia, anche se gli obiettivi raggiunti da Alberto sono stati mirati, essi hanno esercitato un'influenza di più ampia portata sulla sua vita. Grazie alla terapia della regressione, Alberto è stato in grado di abbandonare quei potenti analgesici che erano la sua unica fonte di sollievo.

Anche Betty si è rivolta alla terapia della regressione per por fine alla dipendenza dai farmaci. Fin dall'infanzia soffriva di asma, di allergie e di una generale debolezza del sistema respiratorio e, per tenere sotto controllo gli attacchi e i sintomi, doveva assumere adrenalina per via intramuscolare, steroidi e altri farmaci. Sembrava dovesse vivere il resto dei suoi giorni scossa da terribili attacchi d'asma, condannata a prendere medicinali per riuscire a respirare. Per carattere e tipo di vita Betty si scostava nettamente da Alberto: aveva addirittura sviluppato dipendenza per un certo tipo di spray nasale.

Durante la terapia della regressione, Betty iniziò a tossire e non riusciva a respirare, raccontò di essere nel Medioevo: la stavano bruciando viva; il fumo era soffocante e i polmoni le scoppiavano. Alla fine riuscì a staccarsi da quel corpo e dall'alto vide la piazza, la folla e il raccapricciante spettacolo del proprio rogo.

Dopo la seduta, l'asma regredì quasi immediatamente. Ho ancora difficoltà a credere che sintomi tanto gravi, debilitanti e cronici abbiano potuto scomparire praticamente da un giorno all'altro. Sembra miracoloso. Eppure è stato così, come pure per quasi tutte le sue forme allergiche. Dopo quest'esperienza, Betty smise di usare lo spray nasale. Ormai avvertiva solo una sensazione minima di mancanza d'aria. La sua depressione era svanita, e la qualità della sua vita era enormemente migliorata. Le sue paure non avevano più presa su di lei.

Betty non è stata l'unica a guarire da allergie croniche o da difficoltà respiratorie rievocando la propria morte per soffocamento. Emicrania, asma, affezioni respiratorie e allergie sono condizioni che sembrano originate da esperienze dolorose sofferte in un'esistenza precedente. I traumi fisici del passato sembrano lasciare tracce nella vita presente.

Lacey, una professoressa quarantacinquenne, soffriva di asma da molto tempo e aveva paura dell'acqua. Durante la prima seduta, rievocò immediatamente la scena della sua morte: era una bambina di otto o nove anni che cadeva da una rupe e moriva annegata. Lacey disse che il particolare più vivido era la sensazione di freddo e di profondità dell'acqua. Quasi subito si ritrovò a fluttuare serenamente sopra il proprio corpo. Subito dopo ripercorse una vita in cui era una giovane schiava di undici o dodici anni nell'antico Medio Oriente. Aveva il compito di aiutare a impastare mattoni di fango con la paglia o il fieno e morì quando un carro di paglia fradicia le cadde addosso soffocandola. Mentre descriveva il suo decesso, Lacey si soffermò sulla propria agonia, sul panico e sul terrore che la assalirono mentre cercava di respirare. Questa seconda esperienza fu molto diversa dalla prima. Dopo la seduta la sua asma migliorò notevolmente: per la prima volta nella sua vita Lacey riuscì a trascorrere un'intera stagione senza assumere farmaci né accusare sintomi.

Anne, infermiera di un reparto di terapia intensiva, è riuscita a trovare sollievo alla sua allergia respiratoria dopo essere per caso regredita a una vita passata durante le vacanze. Mentre, insieme a suo marito, visitava Parigi per la prima volta, Anne avvertì un inspiegabile e opprimente senso di angoscia che si impadroniva di lei. Nello stesso tempo si rese conto di trovarsi in luoghi in qualche modo a lei familiari e di destreggiarsi tra vicoli e scorciatoie come se fosse sempre vissuta lì. All'improvviso, svoltando un angolo, Anne sbucò in una piazzetta ed ebbe una sensazione di déjà vu. Vide se stessa ardere sul rogo per le sue facoltà di guaritrice.

Anne si presentò al mio studio per sottoporsi a ipnoterapia ed esplorare quanto le era successo. Durante la seduta, rievocò il calore bruciante del rogo e il fumo acre che la soffocava. Non erano state le sue frequenti allergie respiratorie ad averla convinta a sperimentare le terapia, ma i suoi ricordi spontanei. In seguito quest'infermiera specializzata mi riferì che le sue allergie erano regredite di molto grazie al ricordo della vita precedente.

Un'altra paziente del dottor Jarmon, una dirigente cinquantunenne, si sottopose alla terapia della regressione per scoprire le cause dei suoi problemi respiratori. La chiameremo Elizabeth.

«Ora voglio che lei ritorni a un episodio antico» le ordinò il dottor Jarmon. «Ritorni alla prima volta in cui ha avuto questo problema, a quando non riusciva a respirare, alla sensazione di non poter prendere fiato. Quando vede quella scena me la descriva.»

Elizabeth cominciò a tremare. Fece una smorfia di dolore.

«Bene» disse il dottor Jarmon. «Ora si guardi i piedi. Come sono calzati?»

«Scarpe nere» rispose lei con una vocina infantile. «Scarpe di una volta.»

Il terapeuta volle approfondire. «Dove si trova? Cosa sta facendo?»

«Cucio. Ma so cosa sta per accadere. Ci sarà un incendio.» Elizabeth cominciò a farfugliare e a tossire. Il respiro era rapido e superficiale. «Prende fuoco... quel mucchio di stracci, lì nell'angolo.»

Elizabeth si descrisse come una sedicenne di nome Nora che viveva a Sterling, Massachusetts, nel 1879, e lavorava in una camiceria. Nora era sordomuta e aveva le gambe immobilizzate da stecche. Lavorava lì da quando aveva dodici anni.

«Il fumo... le fiamme!» tossì. «Cercano di spegnerle... battono, battono con qualcosa. Ci buttano dell'acqua, ma non basta.» Gridò. Faticava a respirare.

«Tutte cercano di uscire.» Biascicò tra i colpi di tosse.

«E lei? Sta cercando di uscire?» le chiese il dottor Jarmon.

«Non posso» rispose. «Non mi aiutano!»

«Perché ha bisogno di aiuto?»

«Non posso camminare... ho le gambe bloccate» urlò Elizabeth, mentre le mancava sempre di più il respiro. «Non mi vedono. Sono lì. Non respiro. Non ce la faccio più» rantolò.

Improvvisamente si rilassò. Dopo alcuni minuti di silenzio carichi di tensione, il dottor Jarmon le chiese di descrivere la scena.

«La fabbrica sta ancora bruciando?» le domandò.

«Sì... ma io sono ferma... sono morta... ancora malata... devo riposare. Alcuni hanno più bisogno di riposo di altri. Ma non fa niente. Ora tutto è pace.»

Dopo aver rievocato l'episodio della propria morte nell'incendio, Elizabeth non ebbe più problemi respiratori. La paura di soffocare, che la attanagliava da sempre, era svanita. La sua vita e la sua visione del mondo erano radicalmente cambiate.

Questa casistica dimostra che, se siamo consapevoli della nostra intrinseca divinità e del potere superiore che guida la nostra vita, possediamo una forza straordinaria. Vivere con gioia e pienezza non dipende soltanto dal rafforzamento delle difese immunitarie, ma anche e soprattutto dalla comprensione delle cause «profonde» delle malattie, delle paure, delle menomazioni e delle dipendenze.

Quando si riesce a individuare e a far riemergere tali cause profonde, è possibile comprenderle e superarle. Allora i sintomi svaniscono, le malattie regrediscono, il corpo estraneo viene rimosso, il dolore scompare. Allora il ciclo traumatico si spezza e il ballo è finito. Non c'è più bisogno di proiettare, di difendere, di anestetizzare, di usare farmaci, di stare male.

Per tale motivo, probabilmente, la terapia condotta in questo stato, da questa prospettiva superiore, sembra essere estremamente efficace. Al processo di apprendimento viene impresso un ritmo molto più accelerato e, talvolta, non è neppure necessario regredire all'infanzia o a una vita precedente. Quando la terapia viene svolta in uno stato di rilassamento, di meditazione, uno stato «più elevato» insomma, l'apprendimento, l'accettazione, l'assimilazione e il miglioramento vengono spesso raggiunti in breve tempo.

Si possono ottenere gli stessi benefici anche grazie a terapie diverse da quella della regressione. Ne ho introdotti alcuni elementi nella psicoterapia tradizionale, rivolta a pazienti che non si sottopongono alla regressione: chiedo loro di chiudere gli occhi e di inspirare profondamente, rilassando le membra. Poi comincio l'analisi. L'attenzione dei pazienti è rivolta verso se stessi, non verso l'esterno, e, in tal modo, diminuiscono le occasioni di distrazione, originate da scene e pensieri. I pazienti si concentrano su un punto preciso e possono così accedere al subconscio, agendo su di esso in modo positivo, terapeutico.

Spesso i pazienti visualizzano immagini associate a pensieri ed emozioni che sembrano loro molto importanti e direttamente collegate ai sintomi o ai blocchi da superare. Discutendo e integrando il significato di tali visioni, siano esse scene simboliche o reali frammenti di memoria, essi conseguono una comprensione più profonda e un più rapido miglioramento clinico.

Evelyn aveva un tumore premenopausale al seno, di un tipo particolarmente virulento che aveva già sviluppato metastasi. Due anni prima della diagnosi, fu colpita da un grave lutto: la morte della sorella, per un cancro. Quando si rivolse a me, Evelyn era stata sottoposta a diversi cicli di radioterapia e chemioterapia; aveva subito un intervento chirurgico per indurre una menopausa artificiale ed escludere qualsiasi influenza ormonale sullo sviluppo del tumore ed era sull'orlo della disperazione: i suoi risultati clinici non erano affatto soddisfacenti.

In stato di trance ipnotica, Evelyn iniziò a mettere in ordine e far combaciare alcuni problemi della sua vita familiare e rivide la sorella scomparsa. Le due si parlarono, si abbracciarono, si espressero il proprio affetto, sapevano che sarebbero state «sempre» insieme, in un modo o nell'altro. Evelyn si rese conto che la sorella non era morta ma aveva solamente abbandonato il proprio corpo.

Poi vide dei fasci di luce simili a laser che, puntati sul tumore, le risanavano l'organismo e le acceleravano le difese immunitarie. Gli spiriti guida le erano venuti in aiuto con questi laser.

Da allora Evelyn cominciò a migliorare, smise di perdere peso ed entrò in una fase di remissione. Riacquistò la speranza e la volontà di combattere. Dolore e depressione svanirono rapidamente dalla sua vita e al loro posto ritornarono gioia e serenità.

Tale miglioramento era frutto dell'ipnosi e della visualizzazione? La successione temporale sembra suggerire una correlazione, ma bisogna considerare anche altri fattori. Grazie al miglioramento psicofisico generale, gli oncologi poterono aumentare il dosaggio di chemioterapici, e forse furono i farmaci a essere decisivi. Tuttavia, senza l'ipnosi e la visualizzazione il suo organismo non avrebbe potuto tollerare quantità più alte di tali farmaci.

In uno studio riportato da «The Lancet», la prestigiosa rivista medica inglese, alcuni ricercatori hanno dimostrano che una corretta combinazione di regime alimentare, esercizio fisico e tecniche di riduzione dello stress può far regredire i blocchi coronarici arteriosi. L'attenzione alla dieta e all'attività fisica non è sufficiente: la riduzione dello stress è un fattore indispensabile, molto più importante di quanto si sia supposto finora.

Il dottor Claude Lenfant, ricercatore presso il National Heart, Lung, and Blood Institute di Bethesda, Maryland, ha dichiarato che i cambiamenti nello stile di vita «possono far iniziare un processo di regressione di forme anche gravi di affezioni coronariche dopo appena un anno, senza il ricorso a farmaci per ridurre il tasso di colesterolo». Le tecniche di rilassamento giocano quindi un ruolo importante.

«Questi dati sembrano indicare che le indicazioni tradizionali... possono bastare per prevenire le cardiopatie, ma non per farle regredire.» ha commentato il dottor Dean Ornish, coordinatore della ricerca.

I risultati di un altro studio, condotto su oltre un migliaio di infartuati da parte di ricercatori della Stanford University, è stato presentato al Congresso internazionale di medicina comportamentale a Uppsala. A loro avviso, ansia, apprensione, ostilità e rabbia sono tratti psicologici che predispongono a un attacco cardiaco. È interessante notare che ansia e apprensione sembrano influire di più sulle donne, mentre ostilità e rabbia lo fanno sugli uomini.

Rilassamento, visualizzazione, immaginazione e regressione sono tutti usati per eliminare stress, tensioni, paure e fobie con un'attitudine olistica; le connessioni con la salute sembrano infinite.

Tuttavia, le ricerche sul *continuum* psiche-cervello-sistema immunitario-corpo sono appena all'inizio. In che modo atteggiamenti e stati psichici particolari possono aiutare a prevenire, migliorare e talvolta guarire dipendenze, affezioni croniche, infezioni, forme tumorali, cardiopatie, disturbi immunitari e altre malattie?

Secondo la mia esperienza professionale, e quella di molti altri colleghi, la terapia della regressione e la visualizzazione ipnotica riescono ad agire sulla psiche e a favorire il processo di guarigione. Tali terapie possono essere usate in combinazione con i tradizionali approcci medici e con i farmaci; i due metodi non si escludono a vicenda, lo dimostrano i casi descritti in questo capitolo.

Lasciatemi portare un ultimo esempio. Frances, una donna di quarantacinque anni, si era rivolta a me per risolvere i suoi problemi relazionali. Poco prima, le era stata diagnosticata la presenza, al seno destro, di due masse dure e striate, ben diverse da quelle cisti morbide che compaiono a intermittenza in diversi momenti del ciclo mestruale. Durante il primo colloquio con Frances, mi limitai a tracciare il suo quadro psicologico e fisico, per poi fissare un secondo appuntamento.

Quel giorno, quando Frances arrivò al mio studio, era molto agitata. Dopo il nostro primo incontro, infatti, era andata da un oncologo per i noduli al seno, che si pensava fossero di natura cancerosa. L'oncologo aveva tentato di praticare una biopsia, ma Frances aveva perso i sensi. Il suo medico intanto aveva deciso di asportare chirurgicamente le masse, mettendo in agitazione Frances per la possibilità che fossero dei tumori, e perché, sotto anestesia generale, aveva avuto un'esperienza simile alla premorte e temeva che si ripetesse.

Durante la seduta, cercai di farle visualizzare i fasci di luce che guariscono, gli stessi visti da Evelyn e da molti altri pazienti dopo di lei. Poi le consegnai un'audiocassetta per il rilassamento e la meditazione e le consigliai di continuare da sola a casa. Fissammo un terzo incontro per la settimana successiva.

Frances si presentò con un racconto incredibile. Quel lunedì, giorno fissato per l'intervento, si era presentata in ospedale e, come di routine, le era stata fatta una radiografia. Quando il radiologo esaminò la lastra, vide che le masse riscontrate tre giorni prima erano completamente scomparse, e, dato che non riusciva a crederci, ordinò una mammografia d'urgenza.

Il risultato fu lo stesso: i noduli erano svaniti.

Mentre Frances si trovava in sala operatoria e aveva già la flebo al braccio, il radiologo comunicò i risultati al chirurgo sottoponendogli lastra e dati. Quest'ultimo però, basandosi sulla precedente serie di radiografie, decise di procedere comunque.

Ne nacque un acceso diverbio tra i due medici davanti alla paziente che stava aspettando di essere operata. Il chirurgo era molto diffidente e non voleva credere ai nuovi dati, anche se un suo collega qualificato e stimato, il radiologo, basandosi su due esami ugualmente affidabili, sosteneva che le masse al seno erano scomparse.

Alla fine Frances decise di prendere in mano la situazione. «I noduli non ci sono più» disse. «Quindi me ne vado.»

Dopo la conclusione della terapia, mi spedì un biglietto di auguri natalizi in cui scriveva:

> Grazie per il nastro di meditazione e regressione. Sono ormai una «prova vivente» del potere curativo delle luci! Oggi ho assistito a un miracolo quando sono stata ricoverata per l'intervento. Da venerdì a lunedì le masse erano scomparse: ero guarita al 100%! (quella «luce bianca» è roba sbalorditiva, potente).
>
> Ora i miei amici e parenti ci credono e vogliono altre copie del nastro! Tutti gli scettici e i dubbiosi, tra cui mio marito, cominciano a dar valore alla meditazione, ecc. Ricorderò sempre questa Hannukkah come il «punto di svolta» della mia vita. E festeggerò sempre la «Festa delle luci», che per me ha cambiato significato!
>
> P.S. Attendo con ansia esperienze ancora più belle verso la *salute*.

Ciò che ha vissuto Frances potrebbe essere un fatto molto meno raro di quanto non si pensi.

Il potere di trasformare gli atteggiamenti psicologici grazie alla regressione e alla visualizzazione ipnotica può rivelarsi uno strumento prezioso per i medici tradizionali. Si tratta di forze curative che non hanno alcun effetto collaterale perché sono sostanzialmente spirituali e intuitive. Questo è il segreto della medicina olistica.

V

Guarire gli affetti

Dan, un dirigente trentenne, si rivolse a me per diversi motivi, non ultima la storia d'amore appassionata ma turbolenta con Mary Lou. Lui è un italoamericano di Boston, brillante, intelligente e idealista, lei è originaria del South Carolina, e ha tradizioni culturali e religiose completamente diverse. La loro relazione ebbe inizio con un'attrazione fisica potente e fulminea che li travolse.

I problemi cominciarono perché Mary Lou, dopo aver bevuto un paio di bicchieri, perdeva la propria abituale freddezza e il proprio autocontrollo e flirtava con tutti: abbracciava gli amici uomini, accarezzava loro i capelli e il collo, li baciava quando arrivavano, quando se ne andavano, e talvolta, senza motivo, anche durante le visite. La cosa generalmente non andava oltre. Non c'erano mai state avance sessuali, né sbandate, e tale comportamento avveniva solo in pubblico.

Dan sembrava impazzire: andava su tutte le furie, alzava la voce con Mary Lou e le intimava di avere più rispetto per se stessa e di comportarsi decentemente. Riusciva a malapena a controllarsi. L'intensità della sua reazione emotiva trascendeva il machismo, la gelosia o il concetto di superiorità del maschio radicati nella sua cultura. I suoi scoppi d'ira andavano al di là di ogni precedente reazione con altre donne: aveva alle spalle un matrimonio, un divorzio, delle relazioni importanti, ma con nessuna delle sue partner aveva mai reagito con simile rabbia.

Parlammo del problema per settimane. Poi, un giovedì pomeriggio, Dan si presentò all'appuntamento fuori di sé:

Mary Lou l'aveva fatto di nuovo! A una festa, si era messa a civettare con un loro amico. Lui avrebbe voluto «spaccarle la testa», e lei era comprensibilmente spaventata.

Erano due professionisti, maturi, colti e raffinati, ma lei non riusciva a fare a meno di bere, flirtare e provocarlo, e lui davanti a ciò diventava una belva, reagendo in modo assolutamente sproporzionato alla «colpa» di lei.

Discutemmo per mezz'ora della festa, del comportamento di Mary Lou e del suo. Mentre Dan rievocava l'episodio, riusciva a stento a trattenere la rabbia.

«Perché continua a comportarsi così?» urlò, battendo il pugno sulla scrivania. «Cerca di distruggere il nostro rapporto?»

È significativo notare che Mary Lou voleva convertirsi alla religione di lui per salvare il loro amore. E che i due stavano pensando di sposarsi.

I nostri discorsi non portavano a nulla: sfogare rabbia, paura e altri sentimenti non bastava più a Dan, perché il peso delle sue emozioni era ormai insostenibile. A questo punto gli consigliai la terapia della regressione, e lui acconsentì. Mentre era ipnotizzato, gli chiesi di andare con la mente alle radici del problema nella sua storia d'amore, all'origine di tutto.

«Cerchiamo di risalire all'origine, alla radice della vostra storia d'amore. Forse ha già avuto una storia d'amore con una donna come Mary Lou. Forse c'è dell'altro. Cerchiamo di scoprirlo.»

Ogni volta che uso quest'approccio libero non so mai cosa aspettarmi: nonostante tutti i pazienti che ho guidato nella regressione, l'esito è sempre una sorpresa, un'incognita.

Dan, che sotto ipnosi si era finalmente rilassato e tranquillizzato, diventò improvvisamente teso. Sembrava intento ad ascoltare.

«Sento mio cugino» sussurrò. «Lo vedo! Indossa una tunica bianca e ha la barba. Mio zio è con lui. Mi stanno parlando.»

Zio e cugino erano morti da molti anni.

«Mi dicono di lasciarla! Ripetono: "Lasciala. Deve ancora maturare, affrontare il suo comportamento e superare i problemi. Ma è per il suo bene, perché si sviluppi, non per te o per tuo vantaggio. È una prova d'amore. Quando lei avrà risolto i problemi, ritornerà da te".»

Ma c'era di più.

«Ora ti faremo vedere qualcosa» aggiunsero le due figure.

Improvvisamente Dan, stupito e terrorizzato, assistette a una serie di vite precedenti con Mary Lou.

«La sto uccidendo con un lungo pugnale!» Dan osservò tragicamente. «Mi è stata infedele e l'ho assassinata in un attacco d'ira.» Questo era avvenuto nel VII o nell'VIII secolo, quando era un guerriero e uno dei primi seguaci di Maometto.

Dan aveva eliminato Mary Lou in altre due vite precedenti e qualche volta l'aveva lasciata, sempre in circostanze tragiche o pericolose. In tutto, dunque, l'aveva uccisa in tre occasioni e abbandonata abbastanza spesso, ma lei ritornava in una nuova vita, come una fenice, pronta a recitare lo stesso copione.

Nel complesso, Dan aveva incontrato Mary Lou almeno in sei vite diverse, ricalcando lo stesso comportamento. E si trattava solo delle occasioni in cui lui, uomo, aveva ucciso o abbandonato lei, donna. Durante le sedute successive, infatti, scoprimmo che erano stati legati anche da rapporti di parentela, di amicizia o di odio, e talvolta con sessi e ruoli scambiati.

La rabbia di Dan scomparve completamente. In meno di un'ora sentì verso Mary Lou più amore e tenerezza di quanto non avesse provato dall'inizio della loro storia.

In seguito Dan raccontò a Mary Lou la sua regressione e cercò di «lasciarla». Lei si oppose: voleva crescere e maturare all'interno della loro relazione, senza troncare i rapporti. Dan capì che «lasciarla» non voleva dire necessariamente «abbandonarla», e che ci sono molti modi per farlo.

Dopo quest'esperienza, Dan capì che il «guerriero» dentro di lui aveva un disperato bisogno della forza dell'amore, della compassione, della consapevolezza e della comprensione. Aveva bisogno della forza della saggezza, della speranza e della fiducia, non della forza, solo apparente, della rabbia e dell'ira.

Scoprì anche che il cugino e lo zio erano ancora vivi, anche se i loro corpi non c'erano più. E seppe che neanche lui sarebbe morto.

Nel giro di un anno, Dan e Mary Lou si sposarono. Ora, nel 1993, mentre scrivo questo libro, i problemi che li avevano tormentati sono scomparsi: lui ha smesso di puntare l'indice accusatore contro di lei e lei ha smesso di provocarlo. La comunicazione verbale tra i due è molto migliorata rispetto ai primi giorni magici in cui si sono conosciuti. Hanno imparato entrambi una lezione importante sulla rabbia: hanno capito quanto i comportamenti negativi siano distruttivi e persistenti. Ora, non appena uno di loro si rende conto di un problema, anche minimo, ne discutono insieme e cercano di risolverlo. Come coppia, Dan e Mary Lou hanno raggiunto la capacità di comunicare in modo sereno, onesto e profondo.

Alcune delle nostre esperienze più difficili e stressanti nascono all'interno della famiglia e dei rapporti sociali, ma sono anche le più piene e gratificanti. Viviamo nel nostro corpo, ed esprimiamo la nostra personalità con le nostre relazioni. È l'essenza della comunicazione tra esseri umani, ed è anche il modo più importante di imparare ed evolvere.

L'esperienza mi ha insegnato che molti dei gravi conflitti che si incontrano nella terapia della coppia e della famiglia hanno le proprie radici in vite precedenti. Una terapia che non si limiti all'esistenza attuale, ma allarghi la sua analisi a quelle precedenti può risolvere conflitti relazionali refrattari alle terapie tradizionali, come nel caso di Dan e Mary Lou. Quando la ricerca delle cause di un problema e della sua cura supera i confini temporali della relazione presente, si può evitare o per lo meno alleviare molta sofferenza. A volte la rabbia, l'odio, la paura e altre emozioni e comportamenti negativi presenti in un rapporto possono essere insorti secoli fa.

Diana, una quarantenne di Philadelphia, si rivolse a me per curare la sua depressione cronica. Con il procedere della terapia, mi convinsi che il suo legame burrascoso e teso con la figlia diciottenne, Tamar, era all'origine della sua infelicità.

Diana aveva provato una senso quasi istantaneo di avversione dal primo momento in cui aveva tenuto in braccio la figlia neonata. Non aveva avuto sensazioni simili con nessuno degli altri tre figli, anzi, aveva accolto la loro nascita con gioia e felicità. Diana era rimasta sorpresa dalla rabbia e dall'avversione che aveva subito provato per Tamar. Quando cominciò la terapia, madre e figlia erano nemiche giurate da quasi vent'anni e il loro rapporto era costellato da liti violente e frequenti, scatenate di solito da piccolezze.

In terapia, Diana mi raccontò di aver sofferto di uno shock emorragico, subito prima della nascita di Tamar e di aver rischiato di morire. Al proposito ricordava di aver abbandonato il corpo e di aver osservato dall'alto il marito, preso dal panico, che correva a chiamare i medici. Era una classica esperienza di premorte.

Dopo questa seduta, pensavo che i suoi rapporti con la figlia sarebbero migliorati. Forse Diana aveva alimentato un odio inconscio verso Tamar perché la nascita della bambina aveva messo in pericolo la sua vita. La semplice regressione, facendola ricordare, poteva fornirle la catarsi necessaria a rilasciare le emozioni negative.

All'incontro successivo, però, Diana mi confermò che il rapporto con Tamar era sempre teso. Perciò ritentammo la regressione, questa volta con maggiore successo. I ricordi riportati alla luce da Diana rivelarono che l'inimicizia reciproca che divideva madre e figlia non aveva origine nell'esperienza perinatale, ma in una vita precedente, in cui le due non erano legate da rapporti di parentela. L'accesa rivalità era nata a motivo di un uomo, che ora era il marito di Diana e il padre di Tamar!

Chiaramente, queste due nemiche «storiche» si stavano confrontando anche nell'attuale reincarnazione.

Dopo che Diana ebbe rievocato questo ricordo, i suoi rapporti con Tamar migliorarono. Sul momento non le riferì nulla dell'accaduto, dato che non si sentiva ancora pronta a parlare di tale esperienza, ma quando Tamar si sottopose a ipnoterapia con un altro psichiatra, la regressione la portò alla stessa vita e alle stesse circostanze. A questo punto Diana, turbata, decise di parlare con la figlia.

Con tale nuova consapevolezza, inquietante ma anche illuminante, il legame tra le due donne finalmente si svincolò dal ciclo della competizione e dell'ostilità. Ora Diana e Tamar sono grandi amiche.

In una calda e afosa mattina di ottobre presi la macchina per andare allo studio e portare mia figlia a scuola. Uscendo, salutai con un bacio Carole.

«Non dimenticarti di quel capitolo sui rapporti affettivi.» Mi ricordò mia moglie. Quel fine settimana avevamo parlato a tratti degli affetti e della terapia di coppia, considerando l'effetto di passate esperienze di vita sulla relazione. Carole sapeva che mi ero ritagliato del tempo per scrivere le mie idee e le mie conclusioni sull'argomento.

Alle undici si presentò l'unico paziente «nuovo» della giornata, una signora che aveva convinto la mia segretaria a inserirla in cima alla lista d'attesa e il cui turno era arrivato. Dopo che se ne fu andata, mi dissi che le coincidenze non esistono.

Martine, una trentaduenne madre di due bambini, affermava di avere un unico problema: il suo «terribile» matrimonio, che durava da sette anni. Per il resto, diceva, aveva avuto un'infanzia felice, i suoi rapporti con i genitori erano ancora ottimi, e i suoi figli, una bambina di otto anni e un bambino di due, erano la gioia della sua vita. Inoltre era felicissima della propria casa, aveva molti amici e il suo lavoro in uno studio dentistico le piaceva.

Suo marito Hal, invece, non le risparmiava le critiche, era esigente e non la stimava. Trovava da ridire su qualsiasi cosa la moglie facesse e non perdeva occasione per criticarla e sminuirla. Hal era una palla al piede, un peso insopportabile, e tuttavia lei faceva di tutto per non far naufragare il suo matrimonio. Si erano già separati più volte, in due occasioni durante l'ultima gravidanza. Martine non avrebbe voluto rimanere di nuovo incinta, ma Hal «continuava a insistere». Poi l'aveva lasciata, era ritornato, oppresso dal rimorso, e se ne era andato un'altra volta. Lei sembrava accettare molto passivamente il comportamento del marito e le sue imposizioni. Né la psicoterapia individuale né quella di coppia erano riuscite a sanare il disaccordo tra i due.

Parecchie settimane prima dell'incontro nel mio ufficio, Martine aveva preso parte a un mio seminario, a Miami. Quel giorno avevo insegnato a circa duecento persone il processo di visualizzazione e di regressione sotto ipnosi. Mentre tenevano gli occhi chiusi e si rilassavano li avevo portati in un viaggio a ritroso nel tempo per due volte, guidandoli con la voce a far riemergere i ricordi dell'infanzia e quelli di vite passate.

Martine aveva raggiunto uno stato di profondo rilassamento. Era serena e riappacificata. Rivedeva la sua infanzia, ma non riusciva a regredire: non aveva alcun ricordo di esistenze precedenti, non vedeva nulla.

Aveva anche acquistato un'audiocassetta da riascoltare a casa, un'incisione della mia voce che spiega un esercizio per il rilassamento e la regressione. (Una trascrizione modificata di questo stesso nastro si trova nell'*Appendice* di questo libro.) Quando ascoltava il nastro, riusciva a raggiungere un profondo stato di rilassamento, e talvolta si addormentava, ma non a rievocare ricordi di vite passate.

Quando venne nel mio studio, mi feci un quadro medico e psicologico di Martine e poi la feci cadere in una profonda trance ipnotica. Qui poteva rispondere alle mie domande e quindi ero in grado di guidarla con maggior precisione. Le chiesi di rievocare un quadro felice dell'infanzia, e lei tornò immediatamente alla festa per il suo quinto compleanno.

«Vedo i miei genitori e i miei nonni. Ci sono tanti regali.» Martine sorrideva mentre ricordava: era chiaramente un momento molto felice. «La nonna ha fatto la torta al cioccolato che fa sempre. La vedo.»

«Apra qualche pacchetto e veda cosa le hanno regalato» le suggerii. Era emozionata mentre strappava la carta colorata e trovava una nuova bambola, vestiti e altre cose. Il suo viso irradiava tutta la felicità di una bambina di cinque anni.

Decisi di proseguire. «Ora ritorniamo più indietro, al momento in cui lei e suo marito, o altri familiari, avete condiviso una vita. Ritorni al tempo in cui sono nati i problemi con suo marito.»

Immediatamente Martine si accigliò e poi si mise a piangere.

«Ho tanta paura. È buio, buio pesto. Non vedo niente. Ho solo paura. Sta accadendo qualcosa di terribile.» Aveva ancora una voce infantile. Pensavo si trovasse nel vuoto, in qualche momento di passaggio tra due vite. Ma perché aveva paura? Non riuscivo a capire.

«Ora le toccherò la fronte con un dito e conterò alla rovescia da tre a uno. Quando dirò "uno" capirà dove si trova.»

Funzionò.

«Sono una ragazza, sono seduta davanti a un grande tavolo di legno in una grande stanza. Non ci sono molti mobili, anzi c'è solo il tavolo. Sto mangiando da una scodella. È zuppa d'avena. Mangio con un grosso cucchiaio.»

«Come si chiama?»

«Rebecca» rispose. Non sapeva l'anno, ma quando più tardi rievocò la sua morte disse che era il 1859.

«È da sola? Dove sono i suoi genitori?»

«Non posso... non...» Si rimise a piangere. «Mio padre è qui, ma mamma non c'è. È morta. L'ho uccisa io!» Sua madre, mi spiegò, era morta dandola alla luce e suo padre ne aveva dato la colpa a lei.

«È cattivo con me. Mi picchia e mi chiude a chiave nello sgabuzzino. Ho tanta paura!» urlava.

Ora riuscivo a capire perché Martine, poco prima, aveva tanta paura del buio. Non si trattava del vuoto, ma di una bambina terrorizzata chiusa in un ripostiglio. Per quante ore era stata costretta a soffrire nell'oscurità?

Il padre di Rebecca, un taglialegna, la trattava come una schiava, le assegnava un'infinità di compiti e non apprezzava affatto ciò che faceva, anzi, la picchiava e la chiudeva nell'odiato sgabuzzino. Tra le lacrime, Martine lo riconobbe come Hal, suo marito.

Rebecca, nonostante la crudeltà e la mancanza di affetto del padre, non lo abbandonò mai e rimase con lui finché non morì.

La feci andare avanti nel tempo, al giorno della scomparsa del padre, quando lei aveva trent'anni, e le chiesi cosa provasse. «Sollievo... un immenso sollievo. Sono così contenta che non ci sia più.»

Dopo la morte del padre, Rebecca sposò Tom, un uomo che la amava immensamente e in cui riconobbe il suo attuale figlio Tom. Anche se lui avrebbe voluto dei figli mentre lei era terrorizzata dall'idea di poter morire di parto come sua madre, i due vissero sempre felicemente. Morì prima Tom, poi Rebecca. La portai avanti nel tempo, all'ultimo giorno della sua vita.

«Sono a letto. Sono una vecchia con i capelli bianchi. Non ho paura. Tornerò insieme a Tom.» Morì e si staccò dal proprio corpo.

«Cosa le ha insegnato quella vita?» le chiesi.

«Che devo essere più decisa e sicura» rispose con fermezza. «Devo fare quello che è giusto per me... quando sono nel giusto... senza continuare a soffrire inutilmente. Devo essere decisa.»

Riemergendo dallo stato ipnotico e ricordando ogni cosa, Martine era entusiasta. Si sentiva più forte, più leggera e sollevata, come se si fosse finalmente liberata di un peso.

«Continuavo a ripetere gli stessi errori» commentò con occhi radiosi di felicità. «È il momento di dire basta!»

Notai che l'entusiasmo della scoperta la faceva fremere.

Quando uscì dal mio studio, ignoravo completamente quel che sarebbe accaduto del suo matrimonio, ma sapevo che, in ogni caso, sarebbe stata lei a porre termini e condizioni. Avrebbe avuto sicuramente più polso e avrebbe preso in mano le redini della situazione.

Tutto sarebbe andato per il meglio.

Due mesi dopo, Martine mi telefonò. Era molto in forma e il suo matrimonio era assai migliorato. Si sentiva «così forte». Forse, reagendo alla nuova forza della moglie, Hal era diventato più attento e premuroso, o forse anche lui aveva ricordato qualcosa quando Martine gli aveva descritto dettagliatamente la sua esperienza di regressione.

Attraverso i rapporti con gli altri, impariamo a dare e ricevere amore, a perdonare e ad aiutare.

Dopo aver esaminato le esperienze compiute da alcuni miei pazienti durante l'intervallo tra una reincarnazione e l'altra, sono giunto alla conclusione che la famiglia in cui nascere viene decisa di volta in volta. Sceglieremo di rivivere le situazioni più utili a crescere e maturare con persone che hanno già sperimentato circostanze simili nel corso della propria esistenza e che, spesso, ci hanno già conosciuti in altre vite.

Quando dunque mi si chiede se saremo di nuovo riuniti ai nostri cari, posso rispondere con certezza – e il dato è confortato dall'esperienza di numerosi colleghi – che ci reincarniamo sempre con le stesse persone. Certo, con il succedersi delle esistenze, il gruppo può allargarsi e i suoi membri possono essere legati in molti modi diversi. La relazione madre-figlio di una vita può, per esempio, trasformarsi in rapporto fraterno in un'altra, ma gli spiriti e le anime non cambiano, e possiamo riportarne in superficie la memoria per mezzo della terapia della regressione.

A volte il riconoscimento inconsapevole di un individuo a cui siamo stati legati in un'esistenza precedente si manifesta con un'attrazione o un'avversione immediate e con la ripetizione automatica di atteggiamenti e comportamenti propri di quella vita, ma del tutto incongrui e sproporzionati rispetto alla situazione effettiva. Ciò si verifica più di frequente in famiglie o coppie molto unite, ma può avvenire anche in altri tipi di rapporti: tra dirigente e dipendente, tra studente e insegnante, tra vicini, e persino tra leader mondiali pronti ad azzannarsi l'un l'altro.

Hope, un donna di quarantacinque anni, è entrata in terapia per risolvere una depressione dovuta, in apparenza, a difficoltà relazionali con il figlio adolescente, Steve, e ha scoperto di averlo già conosciuto in un contesto familiare completamente diverso.

Steve studiava, con risultati non troppo brillanti, in una scuola privata molto prestigiosa, di cui ogni tanto marinava le lezioni, e i suoi problemi venivano in parte dalle sue difficoltà di apprendimento. Inoltre aveva la cattiva abitudine di rispondere sgarbatamente alla madre, di non ascoltarla e di innervosirla al limite della sopportazione.

Tutto questo preoccupava molto Hope, ma a me Steve non sembrava un ragazzo particolarmente difficile: era lei a reagire in modo sproporzionato. In qualche modo sentiva di doversi difendere dal figlio che, a suo dire, la stava prosciugando di ogni energia. Si era convinta che la depressione e i problemi di Steve stessero precipitando, e che la vita fosse solo una lunga lotta estenuante, da cui sarebbe uscita comunque sconfitta e stremata. Per proteggersi dal figlio, che secondo lei la stava defraudando della sua vita, era giunta ad accarezzare l'idea di lasciarlo. Ormai Hope non pensava ad altro che ai suoi problemi con Steve, si sentiva esausta ed era prossima a una crisi: a furia di tirare, la corda si stava spezzando.

Dopo la prima visita, mi fu chiaro che era nel mezzo di una lotta disperata, ma la causa non era Steve. Quando Hope aveva cinque anni, suo padre aveva abbandonato la famiglia, e sua madre era morta quando ne aveva sette, lasciando orfani lei e il fratello minore. Per due anni i due bambini non ebbero un tetto sulla testa, fecero dei lavoretti in cambio di cibo e vestiti e rimpolparono i loro magri guadagni con ciò che riuscivano a recuperare frugando nella spazzatura.

Finalmente, quando Hope compì nove anni, la nonna riuscì a rintracciarli e a portarli con sé, ma, dopo quattro anni, ebbe dei rovesci economici e fu costretta a lasciare i nipoti in una casa di accoglienza per trovatelli, dove rimasero per diciotto mesi prima che potesse riaccoglierli. Hope visse con la nonna finché non si sposò, a vent'anni. Quando si rivolse a me, il suo matrimonio durava ancora, anche se c'erano state quattro separazioni, e la sua famiglia restava unita. Inoltre la situazione andava migliorando da molti punti di vista e, soprattutto economicamente, le cose si volgevano al meglio.

La prima volta in cui cercai di riportarla alla sua infanzia, Hope, all'idea di riviverne i traumi, fu tanto angosciata che non riuscì a concentrarsi né a rilassarsi. Decisi quindi che sarebbe stato più costruttivo evitare completamente quel periodo e, in tal modo, riuscii a farle affrontare serenamente la regressione.

Non appena cominciammo, Hope si vide come un giovane che camminava in una via cittadina all'inizio del secolo per poi entrare in una palazzina. Lì incontrò il suo datore di lavoro, lo affrontò faccia a faccia e sfogò tutto il suo risentimento contro di lui: aveva sfruttato le sue prestazioni, pagandolo pochissimo e preferendo concedere promozioni ad altri anziché a lui. Ancora infuriato, gli voltò le spalle, se ne andò e non tornò mai più. Per il resto della sua vita non trovò mai la felicità e si trascinò dietro quello stesso senso di rabbia e di frustrazione.

La sua percezione dell'accaduto e la sua reazione emotiva fu pari a quella che avrebbe provato di fronte a un vero e proprio tradimento. Era come se quell'uomo fosse suo padre, eppure non lo era. Hope capì subito che si trattava invece di suo figlio Steve.

Dopo la regressione, Hope sembrò vedere il figlio sotto una nuova luce, si rese conto che i rapporti che la legavano a lui erano completamente diversi da quelli della vita precedente e capì di avere reazioni del tutto sproporzionate rispetto alle sue provocazioni. Steve non era l'uomo che l'aveva raggirata sul lavoro, ma un ragazzo che stava attraversando il difficile periodo dell'adolescenza. Se aveva delle colpe nei suoi confronti, non potevano essere altro che leggerezze.

Comprese che la paura dell'inganno e del tradimento riguardava lei, non il figlio, e che era un problema sorto ben prima della nascita di Steve, negli anni della sua infanzia. Capì anche che, tenendosi dentro tutta la sua ira verso quell'antico datore di lavoro, aveva fatto del male solo a se stessa e che stava mettendo a repentaglio il rapporto con Steve in questa vita. Discutemmo della possibilità che la rabbia e gli atteggiamenti del figlio fossero legati a quelli della sua esistenza precedente, quando lei gli aveva voltato le spalle e se ne era andato.

Hope continua tuttora la terapia, sta facendo sempre maggiore chiarezza su quali problemi siano interamente suoi e sta prendendo coscienza del fatto che la sua ansia e la sua depressione non dipendono dal figlio. Ha assunto un atteggiamento più realistico e concreto, acquistando prospettive più ampie. Non mi stupirebbe affatto scoprire che Hope e Steve hanno condiviso molte altre vite precedenti.

I rapporti tra genitori e figli possono essere estremamente complessi, ma la loro intensità e il loro potenziale di crescita non escludono a priori l'ironia, un altro grande fattore di crescita. Ricordo che una volta, durante uno dei miei seminari, stavo spiegando come noi stessi, prima di nascere, scegliamo un ambiente familiare che ci permetta di maturare al massimo. A quel punto, una madre si girò verso la figlia, con cui chiaramente doveva avere qualche motivo d'attrito, e le disse: «Ecco! Sei stata tu a scegliere me!».

«Be', di certo dovevo avere un po' di fretta» ribatté la ragazza senza scomporsi.

Questo scambio di battute, inutile dirlo, era ironico; il semplice fatto che madre e figlia avessero deciso di partecipare insieme al seminario lasciava intendere che avessero un'ottima intesa. I membri di una famiglia o di una coppia possono sottoporsi alla terapia sia individualmente, come accade di solito, che contemporaneamente, per risolvere problemi comuni o per migliorare la qualità dei loro rapporti. Talvolta, partecipando ai miei seminari insieme ai propri parenti, essi mettono a confronto esperienze di regressione e scoprono di essere ritornati inconsapevolmente alla stessa vita e di essersi incontrati.

Dopo tali regressioni di gruppo, i rapporti spesso migliorano con la stessa rapidità e interezza già osservata per i singoli che si liberano di sintomi emotivi o fisici rintracciando l'origine dei propri problemi in questa o in altre vite. In effetti alcuni terapeuti della coppia e della famiglia fanno già ricorso alla regressione durante le loro sedute.

Da questo punto di vista, le famiglie adottive non si discostano in nulla da quelle naturali. Ho fatto regredire alcuni bambini adottati, e tutti hanno scoperto di aver condiviso vite passate con i propri genitori adottivi.

Non sempre i pazienti devono ritornare a un'esistenza precedente per migliorare i propri rapporti familiari. Una mia paziente, Betsy, aveva qualche problema relazionale con il padre, da poco venuto a mancare. Era stato un uomo autoritario, severo e distaccato, che la faceva sentire indesiderata, la offendeva e la maltrattava emotivamente. Nonostante tutto, Betsy amava suo padre, ma lui era così inaccessibile, che lei, anche in terapia, faticava a parlargli, e non riusciva a farlo scendere dal suo piedistallo abbastanza a lungo per considerare con attenzione e risolvere i suoi rapporti con lui.

Dopo averla ipnotizzata, chiesi allora a Betsy di visualizzare un luogo molto spirituale sotto forma di giardino. Qui incontrò suo padre che aveva un solo messaggio da darle: «Considerami come un fratello». Il trucco funzionò. Non appena Betsy riuscì a pensare a suo padre come a un fratello, a un suo pari, ne vide più chiaramente e senza imbarazzi pregi e difetti, e poté finalmente capirlo e perdonarlo.

L'indicazione che le avevo dato si è dimostrata così efficace che ho cominciato a utilizzarla con altri pazienti che avevano problemi con i genitori. In termini freudiani, essa elimina la distorsione causata dalla proiezione.

Condividere vite, gioie, dolori, successi, fallimenti, amore, perdono, rabbia, stati di grazia e, soprattutto, una crescita permanente con un'altra anima, significa avere un'anima gemella. Spesso si tratta di qualcuno per cui proviamo un'attrazione istantanea al primo incontro, come se lo conoscessimo da sempre. E in realtà potrebbe essere proprio così.

Non c'è bisogno di instaurare un legame d'amore per provare l'appagamento e la gioia della presenza di un'anima gemella e, del resto, non abbiamo un'unica anima gemella. L'idea, diffusa in Occidente da Platone, secondo cui esisterebbe una sola «metà» atta a completarci perfettamente, è vera solo in parte. Se infatti gli altri possono arricchire la nostra esistenza – partecipando e favorendo la nostra maturazione, l'intimità e la gioia – è più probabile che facciamo parte di un gruppo composto di diverse anime gemelle. Può essere un nucleo ristretto, che si allarga grazie alle esperienze significative compiute con altre anime nell'arco delle nostre vite, ma di certo la sensazione di aver già condiviso pensieri ed emozioni non è mai limitata a un'unica persona. Inoltre possiamo avere relazioni con più anime gemelle contemporaneamente: un amante può soddisfare la nostra anima in un senso, ma, per altri versi, lo fanno anche il nostro migliore amico, un genitore o un figlio.

Mentre maturiamo costruendo rapporti con le nostre anime gemelle, saliamo anche la scala delle esistenze: ci lasciamo alle spalle vecchi modelli di comportamento, godiamo appieno dell'amore e della gioia e abbandoniamo ogni residuo di rabbia e paura. Alla fine arriviamo al punto in cui possiamo scegliere consapevolmente di rinascere per aiutare direttamente il nostro prossimo o di restare sotto forma di spirito per renderci utili a un altro livello. La nostra maturazione emotiva non passa più per la reincarnazione: possiamo abbandonare la strada della crescita personale e dedicarci a quella del servire gli altri.

Se un'anima gemella viene meno per una morte o una separazione, avremo senza dubbio una minor possibilità di crescere. Una mia paziente ha appena perso il marito in un incidente d'auto. È distrutta, certa che senza di lui nulla avrà più senso, neppure il futuro. Dal momento che il suo dolore è profondo, concreto e giustificato, stiamo lavorando sull'idea che possa trovare la stessa intensità di passione, amore, intimità e crescita in relazioni future.

Il ricongiungimento con l'anima gemella dopo una separazione lunga e involontaria può essere un'esperienza che vale un'attesa di secoli.

Durante una vacanza nel Sudovest degli Stati Uniti, una mia paziente, Ariel, biologa, conobbe un australiano di nome Anthony. Entrambi erano già stati sposati ed erano persone emotivamente mature: scoccò la scintilla e si fidanzarono. Di ritorno a Miami, Ariel propose ad Anthony di sottoporsi a una seduta di regressione da me, solo per provare un'esperienza nuova e «vedere cosa ne veniva fuori». Ambedue erano incuriositi dall'eventualità che Anthony avesse «incrociato» Ariel in qualche altra vita.

Anthony si rivelò un soggetto estremamente sensibile alla regressione: ritornò quasi subito a una vita precedente, nell'Africa settentrionale di oltre duemila anni fa, ai tempi di Annibale. Apparteneva a un popolo dalla pelle chiara, molto avanzato, capace di lavorare l'oro, e di usare il petrolio come un'arma, versandolo sulla superficie dei fiumi. Anthony aveva ventiquattro anni e combatteva da quaranta giorni contro una tribù confinante, di pelle scura, molto più numerosa della sua.

Paradossalmente, alcuni dei nemici erano stati addestrati nell'arte della guerra proprio dai compatrioti di Anthony, e uno di loro guidava l'assalto. Centomila uomini armati di spade e accette stavano attraversando un fiume servendosi di funi, e Anthony vi fece versare sopra il fuoco liquido, con la speranza di fermarli prima che raggiungessero la sponda.

La gente di Anthony aveva cercato di mettere in salvo donne e bambini facendoli salire su alcune imbarcazioni con le vele viola ancorate in mezzo a un grande lago. Tra di loro si trovava la giovane e amata promessa sposa di Anthony, che aveva forse diciassette o diciotto anni. All'improvviso il petrolio divampò incontrollato e andò a incendiare le barche. Quasi tutte le donne e i bambini perirono in quel tragico rogo, incluso il grande amore di Anthony.

La tragedia demoralizzò i guerrieri che vennero ben presto

spazzati via. Anthony fu uno dei pochi sopravvissuti alla carneficina dopo un terribile corpo a corpo finale. Riuscì a fuggire attraverso un passaggio segreto che lo condusse al dedalo di camere sotterranee del grande tempio dove il suo popolo custodiva i propri tesori.

Qui trovò un altro sopravvissuto, il suo sovrano, che gli intimò di ucciderlo. Anthony, da soldato leale, ubbidì agli ordini pur non volendolo e, dopo la morte del re, rimase da solo nel tempio buio, dove trascorse il suo tempo a scrivere su lamine d'oro la storia del suo popolo e a sigillare i documenti in grandi urne. Qui alla fine morì di stenti e di dolore per la perdita della sua amata e di tutta la sua gente.

Piccolo particolare: la promessa sposa di allora si era reincarnata in Ariel. I due si erano ricongiunti dopo oltre duemila anni. Finalmente avrebbero potuto celebrare il tanto atteso matrimonio.

Erano stati lontani l'uno dall'altra solo per un'ora quando lui uscì dal mio studio, ma la forza della loro unione era tale che sembrava non si fossero visti da duemila anni.

Recentemente si sono sposati. Il loro incontro, così improvviso, intenso e apparentemente casuale, aveva acquistato un significato completamente nuovo e il loro legame, già profondo, è ora circondato da un'aura di misteriosa avventura.

Hanno intenzione di fare un viaggio nel Nordafrica per andare nei luoghi della loro esistenza passata e vedere cos'altro riescono a trovare. Sanno bene che qualsiasi scoperta potrà solo far aumentare l'avventura che è in loro.

VI
Guarire il bambino nell'adulto

Recentemente, molti autori hanno iniziato a prestare attenzione al «bambino interiore». Tra loro John Bradshaw ha divulgato la tecnica di far regredire nel tempo un paziente ipnotizzato per far riemergere il bambino traumatizzato, confuso e vulnerabile che ha in sé. Questo concetto è frutto delle tecniche psicoanalitiche. Durante una terapia tradizionale, la libera associazione origina spesso un'intensa catarsi emotiva di ricordi infantili traumatici. Quando il paziente attraversa questo processo di rievocazione e conseguente liberazione emotiva, in termini tecnici «abreazione», si verificano mutamenti terapeutici e un miglioramento clinico.

L'analisi transazionale (*Transactional Analysis*, TA) ha perfezionato il concetto psicoanalitico di recupero dei ricordi infantili dolorosi che abbiamo represso o rimosso. In *Io sono ok, tu sei ok,* Eric Berne, il padre dell'analisi transazionale, affermava: «Ogni individuo è stato più giovane di quanto sia ora e porta dentro di sé tracce incancellabili dei primi anni, che in determinate circostanze si possono attivare. ... In termini più semplici, ognuno di noi porta dentro di sé un bambino o una bambina».

Quando un trauma infantile rimasto irrisolto riemerge nell'adulto può provocare una serie di sintomi, tra cui senso di colpa, vergogna, depressione, scarsa autostima e comportamenti autolesionistici. Nel momento in cui si manifestano atteggiamenti infantili, come mettere il broncio, esplodere in scatti d'ira e voler essere al centro dell'attenzione, è il bambino in noi a essere sollecitato. Se il paziente non si rende conto di tali meccanismi, il disagio comportamentale che ha sofferto nell'infanzia può ritorcersi contro di lui o contro gli altri. I figli, per esempio, sono particolarmente esposti e vulnerabili in questi casi, perché spesso un genitore violento ha alle spalle una storia di maltrattamenti infantili. I terapeuti freudiani definiscono tale processo «compulsione ripetitiva» e Bradshaw «regressione spontanea».

Secondo la teoria transazionale, il corredo psicologico individuale consta di tre elementi: il bambino (il bambino / la bambina in noi), l'adulto (la parte razionale e logica) e il genitore (l'interiorizzazione di pensieri, sentimenti e azioni del genitore o di chi per esso). La terapia transazionale mette in comunicazione tra loro tali elementi, facendo «recitare» al paziente i diversi ruoli.

Una variante della terapia, nota come psicodramma, aggiunge molti altri ruoli per far riemergere nel processo terapeutico le paure e i traumi infantili che ci portiamo dentro. A volte un *alter ego* – una persona cioè che osservi dall'esterno parole, comportamenti e gesti – può commentare le parti «recitate» da altri. I partecipanti, interagendo contemporaneamente, possono cambiare personaggio, inscenare incontri, e provare l'intensa liberazione emotiva che si verifica quando si prende coscienza di ricordi infantili dolorosi.

Bradshaw ha combinato i concetti dell'analisi transazionale con la teoria dello sviluppo della personalità, perfezionata da Erik Erikson. In questo modo è in grado di focalizzare i problemi e adattare la terapia a un particolare stadio dell'infanzia.

Il filo comune che lega tutte queste tecniche e altre che ricorrono al dialogo con il bambino interiore consiste nel recupero dei ricordi infantili dolorosi e nella susseguente liberazione emotiva. Le metodologie che si rifanno al bambino interiore, spesso efficaci e usate con adulti cresciuti in ambienti familiari disturbati, violenti, con casi di alcolismo e tossicodipendenza, permettono al paziente di accedere alle proprie memorie infantili in uno stato di rilassamento. Di solito vengono impiegate parole o frasi chiave per concentrare l'attenzione su episodi dell'infanzia particolari, da cui si originano i ricordi più dolorosi. A volte i traumi sono diffusi, per il bombardamento incessante e quotidiano di atteggiamenti violenti, negativi e minacciosi da parte dei genitori o di persone altrettanto importanti.

Il soggetto in stato di rilassamento è invitato, per esempio, a ritrovare il bambino celato nella sua psiche: viene visualizzata la casa dell'infanzia, le sue stanze, la famiglia e quindi il bambino stesso. L'adulto, ricco delle esperienze e della comprensione giunte con la maturità, dialoga con il bambino, promette di proteggerlo e lo fa uscire dall'ambiente traumatico portandolo al presente. In un certo senso il bambino viene salvato.

In teoria, allargando la visione prospettica degli eventi dell'infanzia, mutano le reazioni ai traumi infantili. Tale processo, detto riscrittura, consiste nel «riscrivere» la propria vita secondo un altro copione. Si spera così che il bambino interiore capisca di non essere responsabile del comportamento negativo dei genitori e riesca a perdonarli, o almeno a comprendere le ragioni per cui hanno agito in modo irrazionale. In questo modo l'adulto diviene il genitore affettuoso del suo bambino interiore.

Naturalmente non è la realtà di episodi passati a cambiare, bensì le reazioni dell'adulto rispetto a loro. Il soggetto può liberarsi del dolore, dimenticare il male patito e rimarginare le ferite dell'infanzia. Questa tecnica è davvero efficace: può rappresentare il primo passo verso la guarigione.

In alcuni casi, però, l'abreazione non basta. Infatti non si tratta di una singola infanzia; le radici del dolore affondano molto più indietro nel tempo.

Linda, un'affascinante avvocato trentacinquenne, viene da una cittadina della Pennsylvania centrale e ha divorziato da un uomo psicologicamente violento. Quando entrò nel mio studio indossava un elegante tailleur blu marina, una camicetta scollata, e un unico gioiello, un anello di brillanti. A prima vista sembrava una persona calma e distaccata, con l'aspetto di una professionista di successo.

Durante la nostra prima seduta, mentre Linda mi raccontava la sua vita, fui sorpreso dalle violenze che aveva subito durante l'infanzia, dal vulcano che covava sotto un'apparenza così fredda. Non aveva alcuna memoria della sua infanzia prima degli otto anni, non riusciva neppure a visualizzare i propri genitori a quell'epoca, ma ricordava bene che il padre la prendeva a pugni e la picchiava con cinture, appendiabiti e bastoni, e che, più di una volta, aveva tentato di soffocarla quando era ancora bambina chiamandola «puttana, cagna e troia». Sua madre le aveva raccontato che le percosse erano iniziate molto presto, e che per altro lei stessa aveva dato man forte al marito, picchiandola e graffiandola. Per completare il quadro, Linda era stata molestata sessualmente da uno zio, con la connivenza dei genitori. Mi sentivo nauseato pensando alle incredibili violenze che aveva subito.

Fin da bambina, Linda si era assunta il ruolo di madre sostitutiva per i fratelli minori, tentando di proteggerli da un analogo trattamento e di conseguenza aveva sopportato da sola le sevizie dei genitori. Aveva chiamato più volte il Child Welfare Department* per chiedere aiuto, ma non c'era stato niente da fare: i genitori negavano ogni accusa e poi, quando l'assistente sociale se ne andava, il padre la picchiava fino a farla quasi svenire.

Durante l'adolescenza, Linda aveva cominciato a soffrire di asma e ad avere sempre una cieca paura di soffocare: non poteva sopportare nulla attorno al collo, né gioielli, né sciarpe, né maglioni e non riusciva neppure a chiudere l'ultimo bottone delle camicette.

Spesso aveva tentato di fuggire di casa, ma non sapeva dove andare. Finalmente lasciò la sua città per frequentare l'università e si sposò subito per non dover più tornare a casa.

Durante la prima seduta, tentai di sbrogliare la matassa delle atrocità subite da Linda, ma lei non riusciva a ricordare nulla prima della quarta elementare. La cosa non mi colse di sorpresa: tali vuoti di memoria possono essere una protezione, specie se il passato nasconde tanta violenza. Eppure Linda era impaurita, infelice, e soffriva di una miriade di sintomi, come incubi ricorrenti, fobie, attacchi improvvisi di panico e terrore di soffocare o di essere toccata sul collo.

Ero ben consapevole che bisognava sondare il suo passato. Le consegnai una mia cassetta, che conteneva un esercizio

* Un servizio pubblico americano simile al Telefono Azzurro. (*N.d.T.*)

per la meditazione e il rilassamento sul lato A e uno per la regressione sul lato B, perché la ascoltasse a casa e le dissi di sentirne una sola o entrambe le parti, e di telefonarmi se le provocava troppe emozioni negative.

Durante la settimana, Linda ascoltò quotidianamente l'intero nastro, che la rilassava molto e riusciva a farla addormentare, ma i suoi sintomi e le sue paure paralizzanti persistevano.

Quando si presentò per la seconda seduta, fu lieta di provare l'ipnosi e raggiunse rapidamente un moderato livello di trance ipnotica. La feci ritornare alla sua infanzia, e Linda riuscì a rievocare alcuni particolari della quarta elementare: la sua classe e la gentilezza della maestra. Ora finalmente riusciva a vedere come le appariva il viso del padre in quel periodo. Scoppiò in lacrime. Allora mi concentrai sul bambino interiore, e ordinai a Linda di «mandare» se stessa adulta ad abbracciare, confortare e portare in salvo quella vulnerabile bambina di otto anni. Era terrorizzata, ma anche sollevata, grata e confortata. Cercò di comprendere e perdonare suo padre.

Usai quindi le tecniche che ho messo a punto nel corso degli anni per aiutarla a liberarsi dalle sue fobie e per considerare le cose dal punto di vista di un adulto. Usai il metodo di John Bradshaw e di altri che hanno appunto lavorato con il bambino interiore. Parlammo, discutemmo, proiettammo luce e amore, riconsiderammo tutto, piangemmo, analizzammo, sintetizzammo e riscrivemmo. La rivisitazione dell'infanzia di Linda durò novanta minuti ma, quando finalmente lei riemerse dallo stato ipnotico, si sentiva meglio.

Ricominciò a cantare, cosa che le piaceva moltissimo, ma che non era più riuscita a fare da quando, da piccola, cantava nel coro della chiesa, e le ritornò la memoria. Si sentiva meno ansiosa e più allegra, ma continuava a essere ossessionata dalle sue fobie: era terrorizzata dalla paura di soffocare, non riusciva a indossare nulla al collo, soffriva ancora di asma. Dovevamo fare di più.

Durante la terza seduta, ricorsi a una tecnica di induzione rapida che produce un profondo stato di trance ipnotica nel giro di trenta secondi. Linda fu improvvisamente scossa da singhiozzi e cominciò a tendere il collo.

«Mi tengono per i capelli e mi tirano indietro la testa!» gridò. «Vogliono ghigliottinarmi!»

Era ritornata immediatamente a una scena di morte. Pensai che si trovasse in Francia, ma mi corresse: era in Inghilterra. (Questo mi confuse un po', perché pensavo che la ghigliottina venisse usata solo in Francia. Ma quella sera mi misi a fare delle ricerche sull'argomento e scoprii che, per un breve periodo, era stata adottata in Inghilterra, in Scozia e in altri paesi europei.)

Linda assistette alla propria decapitazione. Mi disse di avere una figlia di cinque anni, che si trovava in mezzo alla folla. Dopo l'esecuzione, la sua testa fu chiusa in un sacco di juta e gettata nel fiume che scorreva lì vicino. Analizzammo più volte l'immagine del supplizio, diminuendone ogni volta la carica emotiva, finché non riuscì a raccontarmi tutto ciò che era successo.

Trascorsero alcuni momenti. Vedevo che le sue palpebre sbattevano e le pupille si muovevano come se stesse scrutando qualcosa. All'improvviso riprese a singhiozzare, scuotendo il capo da un lato all'altro.

«È lui! È mio padre!» Sapevo che intendeva l'attuale padre, come mi confermò dopo la regressione. «Era mio marito. Mi ha mandato sul patibolo per poter stare con un'altra donna. Mi ha fatto uccidere!»

Linda finalmente comprese perché, secondo sua madre, aveva odiato suo padre fin dalla nascita, perché piangeva e urlava ogni qualvolta la prendeva in braccio e smetteva solo quando la metteva giù. Ora tutto acquistava un senso.

Durante questa seduta, Linda rievocò altre due vite passate. Parecchi secoli prima era stata una gentildonna italiana, felicemente sposata con quello che era adesso suo nonno. Si vedeva nitidamente, vestita di bianco, mentre stava su una nave di sua proprietà e il vento le accarezzava i capelli. Aveva avuto un'esistenza piena d'amore ed era morta serenamente in tarda età. Nel presente, Linda aveva un rapporto molto stretto e affettuoso con il nonno.

In uno scorcio della terza vita, Linda si rivide come una vecchia, circondata da numerosi familiari, che abitava in una grande fattoria con un fienile e un mulino.

Le chiesi cosa doveva imparare da queste vite.

«A non odiare» rispose rapidamente valendosi della visione allargata del super Io. «Devo imparare a perdonare e a non odiare.»

L'energia del suo odio e quella dell'ira di suo padre avevano condizionato il loro rapporto in questa vita; le conseguenze erano state disastrose, ma ora lei poteva ricordare e dunque iniziare il processo di guarigione. Linda comprese finalmente perché aveva cominciato a rifiutare suo padre e perché lui, attingendo al proprio senso di colpa, alla vergogna e alla violenza, l'aveva maltrattata tanto. Ora poteva pensare di perdonarlo.

Al termine della regressione, chiesi a Linda di allacciarsi l'ultimo bottone della camicetta: lo fece senza esitare, senza il minimo senso di angoscia o di timore.

Era guarita. La cura è durata tre sedute. I sintomi non si sono ripresentati e anche l'asma è quasi scomparsa.

La seconda seduta, quella in cui abbiamo lavorato con il bambino interiore di Linda, è stata molto importante e l'ha aiutata moltissimo, ma è stata la regressione alla scena della ghigliottina a rivelarsi decisiva.

In casi come quello di Linda, l'uso del bambino interiore e la conseguente catarsi aprono un varco verso la guarigione, che può essere poi completata per mezzo della regressione a vite precedenti. I traumi sofferti durante l'infanzia sono spesso varianti di quelli subiti nel corso di esistenze passate, che possono contenere la prima comparsa del dolore infantile. Ricordando l'origine del problema è possibile portare alla guarigione il bambino interiore di oggi.

Laura, una venticinquenne direttrice di una boutique, si rivolse a me per risolvere disturbi molto diversificati: soffriva di depressione intermittente, aveva una lunga storia di disordini alimentari per cui era già ricorsa a gruppi di aiuto come gli Overeaters Anonymous, e si chiedeva ossessivamente se fosse stata stuprata da bambina. Riguardo a quest'ultimo sintomo, il più preoccupante, non ricordava neppure in modo frammentario di aver subito una simile violenza, ma aveva talvolta la sensazione o l'impressione cinetica che una persona più vecchia la toccasse.

Durante il nostro primo incontro, Laura mi raccontò che i suoi genitori erano ormai degli estranei e che i rapporti con loro erano praticamente inesistenti. Per lunghi periodi di tempo non rivolgeva loro la parola e, quando lo faceva, erano tutti così angosciati e a disagio che le sembrava di «annegare». Emerse anche un altro particolare del suo passato, forse ancor più significativo: non ricordava nulla della propria infanzia, quando tentava di richiamarne alla memoria qualche particolare vedeva solo il vuoto.

Decidemmo di cominciare proprio da lì, ma prima analizzammo le vite ricordate da Laura alcuni mesi prima durante un mio seminario che l'aveva convinta a sottoporsi alla terapia individuale. Durante la regressione di gruppo, si era vista come un tredicenne francese armato di arco e frecce, morto per una freccia che l'aveva colpito al petto, e aveva riconosciuto sua madre nella nonna di allora. In una seconda esistenza, era invece un vagabondo di Londra che viveva di furtarelli. Nella terza, era una quindicenne spagnola vissuta nel XVI secolo.

Nel mio studio, Laura rientrò in quest'ultima vita e mi disse di trovarsi sul rogo, legata a un palo; aspettava di essere bruciata per stregoneria, perché aveva guarito un ragazzo del suo villaggio e il giudice che l'aveva condannata a morte era ora suo padre.

Questi ricordi non la turbarono affatto, anzi, il pensiero dell'immortalità la rendeva molto felice e le faceva sperare di trovare una soluzione ai suoi problemi, tanto che la sua depressione migliorò un po'.

Durante la seduta successiva, Laura continuò a non ricordare nulla della sua infanzia. Tuttavia desiderava assolutamente scoprire le cause dei suoi sintomi, e così, dato che durante il seminario la regressione aveva funzionato molto bene, decidemmo che sarebbe stata la modalità terapeutica più efficace e stabilimmo di affrontare di nuovo i suoi problemi con lo stesso sistema.

Ancora una volta ritornò a una scena di morte in giovane età: era un quattordicenne francese vissuto nel XV secolo. I suoi genitori erano benestanti e possedevano un frutteto di meli. Una terribile epidemia cominciò a dilagare nel villaggio e, anche se i genitori di Laura non lo sapevano e non ne erano responsabili, le loro mele erano una delle vie di trasmissione del contagio. Laura morì per l'epidemia, ma prima riconobbe nei genitori di allora i suoi attuali genitori.

Quando Laura riemerse dall'ipnosi, analizzammo quest'ultima vita, affrontando questioni come l'odio, l'amore e il perdono. Laura doveva perdonare i suoi antichi genitori, dato che non l'avevano avvelenata di proposito, e doveva liberarsi della sua ira.

A casa, Laura aveva ascoltato l'audiocassetta con esercizi di rilassamento e di regressione per cercare di risolvere i suoi dubbi su ciò che le era accaduto nell'infanzia. Ne ricavava risposte intuitive, spesso di natura spirituale, che la spronavano a imparare l'equilibrio, la moderazione e l'armonia: ricordando esistenze precedenti, prive di equilibrio e di moderazione, doveva diventare paziente e affettuosa. Erano queste le basi della vera saggezza, concluse la sua mente intuitiva.

Dopo quest'ultima regressione, fu come se improvvisamente si fossero aperte delle cateratte: i ricordi d'infanzia cominciarono a riemergere e in quel momento fu chiaro perché erano rimasti bloccati così a lungo. La sensazione di aver subito degli abusi sessuali da piccola venne confermata: Laura era stata stuprata dal padre e dallo zio, che l'avevano toccata, accarezzata e costretta ad avere rapporti orali da quando aveva due anni. Le violenze erano continuate a lungo, e sua madre, che sapeva tutto, non aveva mai fatto nulla per porvi fine.

Questi ricordi, e in particolare quello della complicità della madre, per un breve periodo acuirono sintomi e problemi. Col passare del tempo, però, Laura riuscì a integrare esperienze e sensazioni con la terapia e, quando calmò la propria rabbia, si risolsero rapidamente anche i suoi disordini alimentari.

Laura riuscì a collocare nella giusta prospettiva gli abusi del padre e dello zio e comprese che il comportamento del padre risaliva a molto tempo addietro, a quando, nelle vesti di giudice, l'aveva condannata a morte. In quella vita precedente non aveva abusato di lei, ma è possibile che la sua attuale percezione dei confini che dividono padri e figli sia un po' confusa e che l'attrazione sessuale verso la figlia si sia rafforzata proprio per i loro legami passati. Laura capì anche di essersi reincarnata in una serie di vite in cui i genitori non l'avevano protetta dalla morte o dalla povertà, e si rese conto che quelle esistenze erano delle vere e proprie lezioni di amore, pazienza e saggezza.

I legami passati tra Laura e suo padre si riflettono nel loro attuale rapporto. Se il violentatore di oggi ha messo in pericolo o ferito la stessa vittima in una vita precedente, è molto più probabile che in questa esistenza superi i tabù e commetta incesto. È come se si indebolissero i confini e i limiti necessari a promuovere la sicurezza e il benessere di genitori e figli. In effetti tali confini sono già stati varcati, e ciò fa in modo che non ricadere nella variazione di un meccanismo di violenza, dolore e abbandono ormai inveterato sia più difficile per entrambe le parti. Ciò non significa che le vittime meritino o desiderino la violenza o che vi siano in qualche modo predestinate. Esiste sempre il libero arbitrio: le tentazioni si possono vincere e le lezioni si possono imparare. Questo tipo di situazione può creare circostanze molto particolari per accelerare la nostra crescita emotiva e spirituale.

Notiamo che, prima di ricostruire il contesto della vita precedente, Laura non riusciva a ricordare nulla della sua infanzia e poté richiamarla alla memoria solo dopo aver conquistato una prospettiva più ampia; allora fu in grado di confortare il bambino interiore, attuare la catarsi e iniziare il processo di guarigione.

Dopo aver risolto tanti problemi, Laura e io scoprimmo che anche i suoi disordini alimentari si stavano risolvendo. Oggi sta lentamente perdendo peso, ha smesso di mangiare smodatamente, non si sente più depressa e ha tentato più volte di ricucire i rapporti con i genitori, che non le procurano più alcuna angoscia. Dopo aver combattuto per anni questi sintomi e aver cercato di analizzarli con altre forme di terapia, Laura ha trovato una cura rapida e definitiva.

Negli Stati Uniti il numero di casi di abuso sui minori è impressionante: una bambina su tre e un bambino su cinque subiscono violenze sessuali. La terapia della regressione può essere decisiva per la guarigione di chi è stato vittima di abusi, perché offre un mezzo rapido e sicuro per liberarsi di tale esperienza, rievocandola, e perché la pone all'interno di un più ampio quadro spirituale ed emotivo in cui elaborare e integrare le memorie e le sensazioni sorte durante la cura. La terapia della regressione fornisce dunque appigli e strumenti nuovi per affrontare e capire tali esperienze.

Affidandosi a un professionista serio, l'impiego della regressione in casi di violenza sessuale non ha controindicazioni. Durante la terapia, infatti, la vittima non teme di rivivere ricordi dolorosi e rimossi, anzi, in base alla mia esperienza con soggetti come Laura, rievocandoli in tale contesto se ne sente liberata. La terapia consente al paziente di confortare il bambino interiore che ha in sé e di migliorare così molti aspetti della propria vita di adulto, e in particolare i rapporti sociali.

Il ricordo rimosso di una violenza sessuale è un'enorme sfida alla capacità di provare gioia e pienezza nelle relazioni da adulti. Le vittime di abusi sessuali, una volta cresciute, tendono a eliminare l'intimità dai propri rapporti per proteggersi in modo simbolico dal dolore della rievocazione. Questa dinamica è analoga a quella, di cui parleremo nel prossimo capitolo, che spinge le donne a proteggersi da un dolore di origine sessuale aumentando di peso per essere fisicamente meno attraenti.

John Briere, ricercatore del dipartimento di Psichiatria della facoltà di Medicina alla University of Southern California, ha sentito spesso vittime di abusi sessuali nell'infanzia dichiarare che una delle intuizioni più dolorose per loro era stato «capire che papà mi ha fatto del male per suo vantaggio. Papà ha sacrificato le mie necessità a favore delle sue». Il dottor Briere ha puntualizzato che i bambini violentati «perdono la nozione di poter dipendere da una persona che si prenda cura di loro con affetto e calore; una sensazione che spesso non si può più recuperare». Tale nozione è sostituita da una realtà in cui i piccoli imparano a non fidarsi di nessuno perché «una persona apparentemente "buona" potrebbe essere "cattiva"».

David L. Corwin, docente di Psichiatria alla Washington University of Medicine, ha osservato che essere molestati dal padre durante l'infanzia porta spesso a un senso di privazione e di scarsa autostima. Ne risulta che «tali effetti e atteggiamenti minano la capacità di un individuo di affermarsi e proteggersi, di sapere che ha il diritto, come chiunque, di essere trattato con rispetto, affetto e in modo appropriato». Le donne «cominciano a pensare di essere cattive solo per preservare l'immagine di un padre ... idealizzato». La terapia può quindi «aiutare la vittima di una violenza sessuale subita nell'infanzia a non considerarsi in modo negativo e a diventare un "sopravvissuto" nel senso più pieno del termine».

Non è necessario che l'abuso si sia verificato in questa vita o nell'infanzia per influenzare i nostri rapporti interpersonali.

Emily, una donna di quarantatré anni, si rivolse a me perché, per usare le sue parole, soffriva di «paure irrazionali». Era preda di attacchi di panico e di ansia, di paura dell'abbandono e di un'avversione per il sesso, in particolare per l'eiaculazione. Logicamente i rapporti con il marito erano molto difficili. Emily aveva timore dell'uomo con cui aveva trascorso la maggior parte della sua vita e, inutile dirlo, tali sentimenti erano alla base dei loro problemi di coppia. Per di più suo figlio, ancora adolescente, era morto da poco in un incidente d'auto. Infine Emily partecipava alle riunioni degli Alcolisti Anonimi, dove stava raggiungendo buoni risultati senza ricadute.

Durante la prima seduta, usai la terapia della regressione ed Emily si vide come una donna bruna che indossava un vestito rosso e danzava rapita con un giovane a una festa. Il ballerino era il suo attuale figlio appena scomparso.

Poi ricordò di essere stata una giovane madre molto povera ai tempi di Erode. Era stato dato l'ordine di uccidere tutti i bambini minori di due anni, e lei, tentando di non far sentire il pianto del suo neonato ai soldati del re, lo aveva soffocato accidentalmente.

Nel Medioevo, Emily era di nuovo insieme al figlio: questa volta era sua sorella e gli era molto legata. Il fratello era stato passato a fil di spada durante una battaglia. La sua morte aveva tanto addolorato lei e il padre che quest'ultimo non si riprese più, mentre Emily sposò un uomo ricco per sfuggire alla tristezza della sua casa e di suo padre. Il marito la costrinse a rapporti sessuali violenti e dolorosi, senza curarsi minimamente di darle piacere o di farla star bene e lei, nonostante tali contatti fisici le facessero ribrezzo, gli diede tre figli.

Durante la seconda seduta, Emily ricordò di essere stata una zingara francese e una contadina della metà del secolo scorso. Aveva numerosi figli e dovette piegarsi alla prostituzione per dar loro da mangiare. Era disprezzata per la sua attività e, anche se alcuni degli uomini le erano affezionati, altri la maltrattavano. In una di queste tristi circostanze, giunsero persino a sputarle addosso mentre le usavano violenza. Più tardi, quando i figli erano ormai adulti e autosufficienti, si diede all'alcol e giunse a togliersi la vita.

Dopo questa regressione, Emily riuscì a stabilire molti collegamenti tra le vite precedenti e quella attuale: ora sapeva di aver incontrato molte volte suo figlio e fu in grado di superare la sua morte.

Era emerso un dato molto importante per lei: l'amore per i bambini. Emily infatti lavora nel reparto pediatrico di un ospedale e fa anche del volontariato con i suoi piccoli pazienti.

L'altro tema prevalente era la violenza sessuale e la crudeltà. Emily trovò l'origine del suo atteggiamento negativo verso i contatti sessuali nelle sue vite precedenti; capì che in tali esistenze il sesso era stato soltanto un veicolo di abbrutimento e di dolore; riuscì anche a collegare il suo ribrezzo per l'eiaculazione con l'umiliazione cui era stata sottoposta in Francia nel secolo scorso e in questo modo ridimensionò la propria avversione. Comprese che la paura era una barriera innalzata contro un dolore del passato e che non aveva motivo di essere in questa vita.

Con questa presa di coscienza iniziò la guarigione. Emily era stata curata da uno psichiatra tradizionale per anni, ma non ne aveva tratto alcun miglioramento. Ciò non dipendeva dall'analista, ma piuttosto dall'estensione del periodo preso in esame: le radici dei problemi di Emily affondavano nel passato, oltre questa vita, ed era quindi necessario rievocare ricordi e traumi legati a esistenze passate per trovare la cura. In questo senso, la terapia della regressione nei casi di violenza sessuale si limita a estendere la teoria e il trattamento psicoanalitico a un contesto più vasto.

Oggi le paure di Emily stanno scomparendo e di conseguenza i suoi rapporti coniugali migliorano. Non si tratta ancora di una coppia ideale, tuttavia il loro legame si sta rinsaldando ed Emily riesce a valutarne i pro e i contro con maggior obiettività. Anche i suoi timori di avere una nuova relazione con un altro uomo, nel caso dovesse decidere in tal senso, sono svaniti.

L'ombra del passato che gravava su di lei si è sollevata. La paura dei contatti sessuali e degli uomini sta scomparendo. Qualunque scelta compia riguardo alla sua vita matrimoniale, sarà una conseguenza serena e obiettiva delle sue vite passate e non una proiezione delle sue paure sul matrimonio.

Quando i ricordi sono accessibili, inizia il processo di guarigione. Alcuni tipici esempi di guarigione in caso di violenza sessuale sono stati descritti da Ellen Bass e Linda Davis nel loro ottimo libro *The Courage to Heal*. Il primo passo in tale processo consiste nella decisione di star bene e di cercare aiuto.

Come nel caso di Laura, le vittime, all'inizio, possono ricordare le sevizie in modo vago e frammentario, oppure, come nel caso di Emily, sono incapaci di costruire legami intimi. In tutti i casi, comunque, il senso di disagio è molto forte.

Come abbiamo visto, spesso è più facile accedere al ricordo della violenza durante la regressione, quando le vittime cominciano a rendersi conto che gli elementi terrificanti dei loro sogni, più o meno a occhi aperti, e gli elusivi frammenti della loro memoria sono tutti collegati al trauma infantile.

Lo stadio successivo ed essenziale del processo di guarigione consiste nell'accettare la realtà dei ricordi della violenza. La regressione ipnotica all'infanzia e ad altre vite è la tecnica ideale per questo: i pazienti, infatti, vedono e avvertono vividamente le proprie esperienze, ma contemporaneamente si sentono al sicuro e possono integrarle in una situazione terapeutica protetta. Inoltre sanno di proiettare episodi reali, e non fantasie, a causa della forza dei ricordi e delle emozioni presenti nella regressione. Infine tale forza contrasta efficacemente i meccanismi di difesa e di negazione messi in atto dalla mente. Wayne Dyer, autore di *Your Erroneous Zones*, quando afferma «vedrete quando ci crederete» implica che l'accettazione razionale sia posteriore a quella emotiva. Per molti pazienti, però, vedere significa credere. E del resto ricordare il passato attraverso la regressione ipnotica non fa sì che pazienti inclini allo scetticismo lo accettino più facilmente né che accelerino il processo di guarigione.

Le vittime di violenze attraversano spesso un altro stadio del processo di guarigione: la vergogna per aver partecipato a fatti che sono tabù. Se però un paziente recupera i propri ricordi durante la regressione ipnotica sarà in grado di ammettere più facilmente che, in quanto bambino, non era affatto responsabile del comportamento dell'adulto. La memoria delle vite precedenti, comunque, aiuta a cancellare la vergogna e a spiegare perché confini che dovevano restare saldi sono stati invece infranti proprio nel corso di rapporti formativi con adulti importanti.

Arriviamo poi a un'altra area delicata: la rabbia. Le vittime, di solito, sono incoraggiate a rivivere la propria rabbia verso il carnefice, a sentire che è salutare. Senza dubbio l'ira è un passaggio obbligato, ma ho notato che la terapia della regressione ne favorisce la trasformazione in comprensione, così da abbreviare questo stadio. Non so bene perché, e spero che si facciano nuove ricerche, ma posso avanzare delle ipotesi: può darsi che la regressione, fornendo al paziente una prospettiva più ampia, gli permetta di diventare velocemente più distaccato; oppure è possibile che la componente spirituale della terapia possa, in alcuni casi, promuovere una maturazione e una guarigione più rapide.

Da quando Elisabeth Kübler-Ross ha descritto gli stadi del dolore, si è spesso dato per scontato che sia necessario attraversarli uno per uno prima di giungere a una guarigione completa. Tuttavia non è detto che tutti coloro che vengono curati debbano attraversare ogni singolo stadio secondo una rigido schema cronologico. Non è indispensabile, per esempio, che la rabbia si protragga a lungo, anche se il vostro analista può pensare il contrario. Nella terapia della regressione, dopo aver rivisto e discusso le esperienze passate, di solito si giunge rapidamente alla comprensione.

Questo tipo di terapia sembra dunque essere particolarmente adatto per abbreviare la fase della rabbia e inoltre incoraggia il paziente a lavorare secondo il suo ritmo personale. A che scopo continuare a provare rabbia per mesi quando è possibile liberarsene in un'ora, un giorno o una settimana?

Come dimostrano i casi di Laura e di Linda, attraverso la comprensione offerta dalla regressione è possibile alleviare la rabbia e risolvere il trauma più rapidamente.

Non è mia intenzione promettere miracoli, né strigliare pazienti e terapeuti che procedono a un ritmo più lento, e magari più appropriato ai loro casi. Vorrei solo indicare alle vittime un'altra possibilità.

Una volta rintracciate le cause della rabbia, potete decidere di liberarvene, o di non farlo, in qualsiasi momento vogliate: la decisione spetta a voi. Ognuno di noi ha il proprio ritmo personale e adeguato per guarire e maturare.

Quando un paziente, attraverso la regressione ipnotica, fa riemergere i ricordi degli abusi subiti in questa vita o in altre, non dimentica la sua rabbia, ma è più pronto a perdonare se stesso e gli altri: chi ha subito violenza ne ricava spesso, come insegnamento spirituale, la profonda capacità di perdonare.

Lorraine sapeva che il perdono faceva parte della lezione ancor prima di entrare in terapia. Seduta nel mio studio, quest'insegnante e amministratrice trentasettenne raccontava di essere stata una bambina trascurata dai genitori. La madre soffriva di una grave forma di artrite reumatoide che richiedeva attenzioni costanti e totali e Lorraine pensava che i suoi genitori fossero stati freddi e insensibili con lei. Per di più, suo padre era morto per un attacco cardiaco quando lei aveva solo sei anni.

Lorraine sentiva che i rapporti con i genitori e la morte del padre le avevano impedito di stringere amicizie intime e di perdonare a se stessa e agli altri. Aveva paura che, se avesse instaurato delle relazioni, le avrebbe perse o rovinate per la sua rabbia. Oltretutto era una figlia del dietilsilbestrolo e il timore di essere sterile si sommava a quello dell'intimità.

Sottoposta a terapia, Lorraine rievocò una vita nella Grecia antica, durante la quale suo padre, che era quello attuale, l'aveva molestata sessualmente quando era bambina. Allorché tutto venne a galla, il padre fu portato via, e Lorraine pensò che fosse stato ucciso dalle autorità per ciò che aveva fatto. È importante notare che anche allora suo padre la abbandonò quando lei aveva sei anni.

Frammisto alla rabbia, in Lorraine c'era anche un forte

senso di colpa, come se fosse responsabile della punizione subita dal padre in Grecia. Finalmente capì che in questa vita non si sentiva solo irritata con suo padre, ma anche colpevole di esserlo, che la violenza apparteneva al passato e che doveva perdonare se stessa e suo padre per potersi liberare dell'ira. L'incapacità di perdonare, che Lorraine estendeva a tutti i rapporti era chiaramente legata alla violenza subita nell'esistenza precedente.

Lorraine si rese conto di dover perdonare suo padre «due volte» per averla abbandonata in così tenera età. Ora sta lavorando su questo, si sente molto meglio riguardo ai loro rapporti in questa vita e non è quasi più oppressa da sensi di abbandono e di rabbia. Ha capito che morire per un attacco di cuore non equivale a essere fermati per un episodio di molestie sessuali, ed è in grado di comprendere più chiaramente lo snodarsi della vita di suo padre, di vedere che molti avvenimenti di quest'esistenza sono stati un contrappasso karmico a quella in cui aveva abusato di lei. È convinta che egli sia stato costretto ad andarsene di nuovo quando lei aveva sei anni per ripagarla in qualche modo della violenza compiuta in passato, mentre in realtà non avrebbe voluto farlo e che la sua personalità in questa vita fosse nettamente migliorata rispetto a quella dell'antica Grecia. Tutto ciò ha contribuito alla guarigione: Lorraine è riuscita a far crescere dentro di sé la comprensione e la compassione per il difficile cammino di crescita che sta percorrendo suo padre.

La capacità di perdono acquisita da Lorraine è frutto di un processo rapido, riconducibile alla sua presa di coscienza delle vite del padre. La semplice percezione dello scopo o della logica di una serie di eventi dolorosi basta a raggiungere la guarigione, e a sostituire la rabbia con il perdono. Il processo non è necessariamente logico, ma agisce efficacemente in molti casi.

Anche la paura dell'intimità che assillava Lorraine sta lentamente svanendo: ora sa che l'abbandono e la violenza del padre vanno collocati in un contesto preciso, si rende conto che non sono imputabili a una propria anomalia o a un problema fisico e perciò non ha più motivo di credere che sarà abbandonata ancora.

Come molti altri pazienti, anche Mercedes, una quarantenne nubile, si rivolse a me per risolvere problemi di stress, angoscia, incubi ed emicranie. Brillante donna in carriera, Mercedes aveva ricevuto un'educazione molto cattolica, aveva una forte spiritualità e per anni aveva praticato la meditazione. Mentre meditava, le capitava un fatto molto bizzarro: all'improvviso girava la testa involontariamente da un lato, come per difendersi da qualcosa o da qualcuno.

Per parecchie sedute tentammo i metodi della terapia tradizionale, ma ne ricavammo solo un leggero miglioramento. Infine Mercedes decise di provare la terapia della regressione, concentrandosi sulla propria infanzia, e fece riemergere traumi molto dolorosi: era stata oggetto delle attenzioni particolari del padre, alcolizzato e violento, morto dieci anni prima. E voltava la testa per tentare di sottrarsi ai rapporti orali cui lui la costringeva, cosa che spiegava lo strano gesto di Mercedes durante la meditazione.

Ricordò la vergogna e la confusione di cui cadeva preda quando il padre, lasciandola depressa e agitata, se ne ritornava da sua madre. Queste «attenzioni» particolari furono le uniche che ricevette. Quando Mercedes descrisse le emozioni suscitate in lei dalle molestie paterne, al primo posto non c'era la paura, ma il disgusto. Sembrava abituata a essere trattata in questo modo, come se le violenze si protraessero da tempo.

Durante le sedute seguenti, raccontò i maltrattamenti cui l'aveva sottoposta la madre, che la picchiava spesso, impulsivamente e senza motivo, terrorizzandola a morte. Ora capiva finalmente perché non si fidava delle donne.

Rievocò anche una scena, che risaliva a quando aveva solo un anno, in cui suo padre la accarezzava mentre si trovava nella culla. Mercedes però ricordava anche di amare suo padre e di essere riamata da lui, che pure abusava di lei, e ciò la faceva sentire molto confusa.

Nel corso della regressione successiva, Mercedes ritornò a una vita precedente, ambientata nel Medioevo, e si vide all'età di ventisei anni. Era una schiava, lavorava stando incatenata a una parete delle cucine di un castello, e veniva liberata per un unico scopo: essere portata in una stanza dove un uomo la usava sessualmente. Ricordava distintamente di provare soprattutto disgusto dopo tali incontri, come dopo le violenze cui la sottoponeva il padre che l'amava.

Il sollievo di Mercedes fu immediato: era finalmente riuscita a far chiarezza sul proprio comportamento sessuale e sulle proprie inclinazioni. Anche per lei, come per altre vittime di abusi sessuali, l'intimità era uno scoglio enorme; il sesso era fonte di piacere, ma i rapporti sessuali erano distaccati e meccanici, per niente intimi. Dopo la regressione, Mercedes si sentì felice e piena di speranze: cominciava a capire e a risolvere il passato e il presente per guardare a viso aperto il futuro.

Uno degli aspetti più interessanti del caso di Mercedes è forse la storia delle sue due sorelle: solamente una era stata stuprata dal padre. Si può spiegare quest'eccezione pensando che, forse, la sorella risparmiata non aveva precedenti di violenza paterna o di trasgressione di tabù in una vita passata. Se c'era un legame col padre, poteva essere avvenuto su un altro livello, in una diversa sfera di comportamenti, rapporti e circostanze.

Si sente spesso parlare di karma; significa che, per quanto le esperienze e le circostanze cambino, si raccoglierà in una vita ciò che si è seminato in quella precedente. A mio avviso però ciò non è sempre vero: subire violenza non costituisce una punizione per colpe passate, una lezione o uno schema ereditato da una vita precedente. Scegliendo di reincarnarsi in una determinata famiglia, entro ben precise circostanze, non si è certo disponibili ad accettare abusi, lo si è però a imparare un certo insegnamento e a partecipare a un dramma. Attraverso il libero arbitrio possiamo stabilire in che modo apprendere quella lezione, così come fanno gli altri individui che hanno scelto di condividere con noi la stessa vita. La decisione di avere un ruolo in una specifica famiglia non conduce necessariamente alla violenza: parte del processo di crescita consiste proprio nel non scegliere comportamenti nocivi o distruttivi. Si può maturare rapidamente e con gioia, oppure lottando, e tra questi due estremi esistono molti gradi intermedi.

La violenza è una probabilità, non un fatto ineluttabile. In questo senso ogni famiglia è un microcosmo, un piccolo ecosistema in cui i fattori emotivi e spirituali interagiscono, si riequilibrano e interagiscono di nuovo. Forse è per questo che gli abusi colpiscono alcuni membri di una famiglia e ne risparmiano altri.

La terapia della regressione promuove una maggior presa di coscienza dei problemi, allargandone la portata e contestualizzandoli in una prospettiva più ampia. Se i ricordi sono vaghi e tutto è un po' in ombra, non esiste nulla di concreto per cui dolersi o di cui liberarsi, quando invece si rievocano particolari precisi, allora la vittima di una violenza può «staccarsi» e guardare serenamente al futuro.

Una volta compresi i motivi, i modelli di comportamento e le cause, proviamo ciò che viene chiamato «stato di grazia». La grazia della chiarezza ci permette di trascendere il concetto tradizionale di karma, di non dover ripetere una sequenza già nota, di essere liberi dalla necessità di sentire dolore. Allora si accede a un livello superiore, le cui note dominanti possono diventare l'armonia e la gioia.

In ultima istanza, le vittime di violenze sessuali devono ricordare che anche in quei momenti l'anima non corre alcun pericolo. Lo spirito è indistruttibile e immortale.

VII

Guarire dal bisogno di proteggersi: alle radici dell'obesità, dell'alcolismo e della tossicodipendenza

Kathy, una dirigente trentottenne, si rivolse a me per guarire dalla sua ansia: soffriva di una profonda e incontrollabile paura di guidare, che la faceva cadere in attacchi di panico quando conduceva la sua vettura in autostrada, e a volte anche quando era solo una passeggera.

Durante tali attacchi sudava copiosamente e aveva palpitazioni, tachicardia, difficoltà di respirazione, tremiti e annebbiamenti della vista. All'epoca del nostro primo incontro, era così terrorizzata dall'eventualità di perdere il controllo del volante, che prima di mettersi in viaggio prendeva un tranquillante.

Si era già sottoposta a psicoterapia e a biofeedback, ma né l'una né l'altro avevano sortito qualche effetto. I test neurologici erano normali: Kathy non soffriva di sindrome del prolasso della valvola mitrale, una cardiopatia spesso associata agli attacchi di panico. Infine quando mi feci raccontare la sua storia non scoprii nulla di traumatico o legato a violenza nel suo passato. Fisicamente godeva di ottima salute, a parte il fatto che aveva quasi diciotto chili di sovrappeso.

Durante la seconda seduta, provammo l'ipnosi e Kathy cadde rapidamente in un profondo stato di trance, come capii dai rapidi movimenti delle sue pupille sotto le palpebre chiuse. Subito dopo, prima ancora che potessi darle l'indicazione di tornare all'origine della sua fobia, cominciò a parlarmi di due incidenti d'auto, a lungo rimossi ma traumatizzanti, in cui era stata coinvolta quando era molto piccola. Nel primo episodio, si trovava su una vettura che era slittata su una lastra di ghiaccio, facendo perdere il controllo al conducente, e, pur essendo rimasta illesa, fu terrorizzata dall'inevitabile incidente e dalle ferite dei familiari. Nel secondo, mentre la macchina percorreva una discesa, i freni non avevano più risposto e tutti i passeggeri erano scampati alla morte per miracolo. Ricordando scene così terrificanti, Kathy piangeva, ma, dopo aver riportato alla memoria questi traumi a lungo rimossi, si sentì più sicura di sé e non temette più di perdere il controllo del volante. La paura dell'auto e gli attacchi di panico gradatamente cessarono.

Entusiasmata dal successo e dalla nuova sensazione di benessere, Kathy fissò un terzo appuntamento per tentare di risolvere il problema dei suoi chili di troppo. Mi disse di essere sempre stata obesa. Le diete la aiutavano, ma di lì a poco riprendeva rapidamente i chili persi.

Distesa sul lettino nel mio studio, cadde nella trance ipnotica ed entrò quasi subito in una vita precedente. Si vide come «una donna molto magra, praticamente pelle e ossa, uno scheletro. Ci sono degli uomini in uniforme... Mi stanno bruciando con degli acidi! Stanno facendo degli esperimenti medici su di me, mi torturano!»

Scoppiò in lacrime quando ricordò di essere stata usata come cavia per i disumani esperimenti medici compiuti dai nazisti nei campi di concentramento. Era morta in un lager, ridotta a uno scheletro. Finalmente liberata dal dolore, Kathy abbandonò il suo corpo e lo guardò dall'alto, poi fu attratta magneticamente da una luce brillante, che la confortò, e le infuse un senso di pace e di amore.

La seduta però non era ancora finita: le pupille di Kathy continuavano a muoversi sotto le palpebre.

«Sono in un posto che sembra francese. È New Orleans. Ho avuto molti uomini perché faccio la prostituta.» Durante quest'esistenza, aveva contratto una malattia venerea cronica e debilitante e stava morendo di consunzione e di inedia, ancora una volta ridotta a uno scheletro. Morì nello stesso letto in cui si era ammalata, si staccò dal corpo, lo guardò dall'alto e si diresse verso la luce brillante che non le feriva gli occhi.

«Non ho trovato nessuno da amare in quella vita» osservò tristemente. Il suo spirito si era consunto, come il corpo.

In entrambe le esistenze ricordate, Kathy era morta di stenti.

«Esiste un collegamento tra le sue vite precedenti e i suoi attuali problemi di obesità?» le chiesi, ricordando il motivo originario della seduta.

La risposta arrivò rapidamente e spontaneamente. «Avevo bisogno di chili in più per proteggermi. Dovevo essere sicura di non morire di fame.» Dopo una pausa aggiunse. «Ma ora non mi servono più.» Non ne aveva più bisogno perché aveva ricordato.

Nell'arco dei successivi sei-otto mesi Kathy perse gradualmente e regolarmente i chili in eccesso. Al momento in cui scrivo non li ha ancora recuperati. La cosa più significativa forse è che, da quando è dimagrita, ha cominciato una nuova storia d'amore proprio grazie al fatto di sentirsi finalmente bene con se stessa e di apprezzare il suo nuovo aspetto.

Quando Dee, moglie di un impiegato di banca, venne da me, il suo principale problema era l'obesità: aveva venticinque o trenta chili di troppo e aveva ormai tentato di tutto per dimagrire: diete speciali, ipnosi, psicoterapia, farmaci, digiuno, cure termali e ginnastica. Il suo peso mostrava il classico andamento «a fisarmonica»: perdeva qualche chilo, diventava ansiosa e subito li recuperava. Insomma, nel corso degli anni aveva perso e ripreso qualcosa come quarantacinque chili.

Infine Dee era una donna molto bella, tanto che uno degli psichiatri cui si era rivolta aveva ipotizzato che, dimagrendo, avesse paura di suscitare l'interesse maschile.

Nel mio studio, Dee cadde nella trance ipnotica e si vide come una giovane indiana d'America di due o trecento anni fa. Era stata notata per la sua bellezza da un uomo di un'altra tribù, che l'aveva rapita, violentata e mutilata. Era sopravvissuta a quest'esperienza, ma, per il resto della sua vita, era stata afflitta da terribili dolori e perciò aveva deciso di non voler essere mai più attraente. Così aveva cominciato a ingrassare, e la sua obesità continuava anche nel presente.

Lo psichiatra aveva ragione: Dee aveva paura di dimagrire, perché temeva che gli estranei sarebbero stati attratti dalla sua bellezza e, del resto, non aveva voluto avere rapporti sessuali con suo marito prima che il matrimonio fosse avviato e si fosse instaurato un clima di familiarità e sicurezza. La terapia era fallita perché il problema non aveva origine in questa vita.

Grazie all'ipnosi, Dee aveva ricordato ed era guarita. Perse rapidamente i chili di troppo superando i precedenti livelli di dimagrimento e decise lei stessa quando fermarsi. Mentre raggiungeva il suo peso forma non soffrì di attacchi d'ansia, paura o voracità compulsiva riflessa. In più era scomparsa la paura della morte: era diventata più snella e si era resa conto di essere immortale. E tutto in una seduta!

Dee conserva il suo peso ideale da quasi quattro anni. Inoltre l'esperienza della regressione ha stimolato il suo interesse per la spiritualità, che è divenuta un aspetto importante e gratificante della sua vita.

Ho scelto i casi di Dee e Kathy tra quelli di un ampio gruppo di pazienti, soprattutto donne, che hanno superato il problema dell'obesità cronica grazie alla terapia della regressione. A mio avviso, il bisogno di difendere il corpo da una precedente vicenda di dolore, fame, violenza sessuale o maltrattamento, è alla base dell'obesità, spesso ha radici in una vita precedente e può essere risolto con la regressione.

Alcuni obesi pensano di poter usare i propri chili di troppo come un amuleto contro certe malattie debilitanti: chi ha paura del cancro, per esempio, spesso accumula peso perché ritiene che essere grassi significhi essere in buona salute. Altri credono che l'adipe isoli in qualche modo l'Io dal corpo, riducendo la percezione del pericolo (reale o immaginario) e proteggendoli dai «duri colpi» della vita.

Quando all'origine dell'obesità c'è un abuso sessuale, la terapia della regressione considera sia i sintomi che la causa, assumendo che quest'ultima pesi sulla psiche tanto quanto i primi sul corpo. È l'individuo nella sua interezza a essere curato, a non avere più bisogno di riprendere peso e di ricominciare il ciclo. Dopo aver riportato alla luce il trauma, l'Io interiore e quello esteriore guariscono insieme.

In alcuni casi è sufficiente regredire alla propria infanzia per risolvere forme di obesità croniche e pericolose. Molti anni fa, per un breve periodo, ho lavorato in un reparto ospedaliero di gastroenterologia. Mi occupavo di pazienti affetti da obesità gravi, preparandoli per un programma di ricerca che prevedeva di favorire il dimagrimento attraverso una procedura invasiva.

In quell'occasione incontrai una paziente che mi fu poi mandata da un collega. Sharon pesava centotrentatré chili e, come era accaduto ad altri, la sua partecipazione al programma si era rivelata inutile. In precedenza aveva provato una forma di ipnoterapia che si valeva di suggestioni postipnotiche, la psicoterapia tradizionale e numerose diete, ma nulla era servito. Ogni volta che Sharon perdeva chili, li recuperava quasi automaticamente, tornando sempre a quota centotrentatré.

Durante l'infanzia e l'adolescenza Sharon aveva cinque o dieci chili di troppo, ma era arrivata a centotrentatré solo dopo il matrimonio. Durante il fidanzamento aveva idealizzato il marito, innamorandosene perdutamente; il suo subcosciente negava (non permettendole di vederli e di prenderne coscienza) alcuni tratti non molto positivi della personalità di lui, come per esempio il bisogno compulsivo di amoreggiare con altre. Non appena si fu sposata, comunque, Sharon non poté più ignorare la realtà. Un'avventura del marito divenne di dominio pubblico e segnò l'inizio della sua obesità.

La regressione ipnotica rivelò che Sharon, a tredici anni, era stata umiliata e presa in giro davanti a tutti da un coetaneo per le sue forme sgraziate. Ma non era tutto. In lacrime, ancora in stato di trance, Sharon rievocò la causa prima della sua obesità: il suo patrigno si era approfittato di lei quando era una bambina di appena quattro anni.

Questi ricordi erano stati repressi per anni. Il tradimento del marito era stato la goccia, ma il vaso era stato preparato quando Sharon aveva quattro anni e l'acqua era stata aggiunta quando ne aveva tredici. Sharon diffidava degli uomini e aveva cercato di difendersi diventando così obesa da non poter essere considerata attraente e quindi da non poter essere ferita di nuovo.

Dopo aver rievocato la violenza sessuale sofferta da bambina, Sharon cominciò a dimagrire, divenne meno vorace e imparò a mangiare con misura. Inoltre la psicoterapia riuscì a farle riguadagnare la fiducia negli uomini. Da quella seduta Sharon ha perso quasi settantacinque chili e non li ha più riacquistati.

Gerald Klein, brillante ipnoterapeuta, nell'arco di venticinque anni di carriera ha curato migliaia di persone affette da obesità. Quando gli chiesi il suo parere su questi casi e altri analoghi, mi rispose che, a suo avviso, la sola suggestione postipnotica – quella che anche Sharon aveva provato senza successo – non basta ad aiutare il paziente a dimagrire se quest'ultimo deve perdere più di quindici o venti chili ed è obeso da tempo.

In altri termini, secondo lui, l'ipnosi tradizionale che impiega suggestioni dirette, del tipo «Lei mangerà solo tre volte al giorno; proverà un senso di pienezza tra i pasti; si nutrirà solo con alimenti sani», non è sufficiente a curare l'obesità cronica. La suggestione postipnotica può provocare un dimagrimento temporaneo, ma quasi sempre i chili perduti torneranno.

Kein invece ha constatato che la regressione alla causa dell'obesità cronica, sia questa rintracciabile in episodi significativi dell'infanzia o di vite precedenti, riesce a risolvere il problema e che quando l'obesità è curata con la terapia della regressione la perdita di peso è permanente.

La mia esperienza con Kathy, Dee, Sharon e altri pazienti sovrappeso è conforme alle osservazioni di Kein. Quando, attraverso la regressione, si risale alla radice dell'obesità, i chili di troppo sembrano semplicemente scomparire. Dopo essere regrediti, quasi tutti i miei pazienti non hanno ripreso peso. E, nel caso ciò accada, si programma una seduta in cui si rievoca o si analizza il ricordo quanto basta per invertire il processo.

La terapia della regressione funziona anche con chi presenta una predisposizione congenita all'obesità. Oggigiorno si dedica sempre più attenzione alla possibilità che l'obesità cronica abbia origine genetica. Comunque, se anche esistesse una qualche forma di ereditarietà, va sottolineato che una tendenza è solo una tendenza, non una certezza.

La regressione offre ai pazienti la forza e gli strumenti per vincere qualsiasi tendenza. Le tendenze non sono inevitabili, insuperabili o irreversibili. Con la regressione, e la maggiore chiarezza che ne segue, una tendenza fisica si può invertire, così come quelle psicologiche discusse in questi capitoli.

Forse la consapevolezza della fonte di questa cura è già

nascosta dentro di noi. Ogni volta che chiedo a un obeso da quanto tempo dura la sua condizione, la risposta è inevitabilmente «da sempre».

Anche alcolizzati e tossicodipendenti hanno spesso la sensazione che i loro problemi durino «da sempre». E tale senso di «eternità» deriva forse dal fatto che sia la tendenza all'abuso di sostanze sia i problemi, nascosti da droga o alcol, che ne conseguono possono essere il retaggio di una vita precedente.

Chi è schiavo di tali sostanze ha in comune con gli obesi il bisogno di essere protetto. Cibo, droga e alcol, infatti, sembrano tutelare l'individuo dai suoi sentimenti, dalle sue paure e dalle sue ferite. Un tossicodipendente può rifiutare le proprie responsabilità addossando alla droga la colpa dei suoi problemi. È facile usare la dipendenza come scusa per fallimenti, delusioni o errori, invece di accettare realisticamente questi «rovesci della fortuna» e di considerarli delle opportunità di crescita.

A differenza dell'obesità, però, fra le cause scatenanti dell'alcolismo e della tossicodipendenza c'è anche un elemento di evasione o di fuga dalla realtà e l'assunzione di tali sostanze è di solito un mezzo per sopprimere ricordi ed emozioni.

In questo senso, il calo di consapevolezza provocato dall'alcol e dalla droga può essere una forma di lento suicidio. Assumere stupefacenti, infatti, è un modo per sfuggire a problemi intollerabili o evitarli tanto quanto togliersi la vita. A volte, sottoponendosi alla terapia della regressione, tossicodipendenti e alcolizzati scoprono di essersi suicidati in esistenze precedenti e di avere ora di fronte gli stessi problemi a cui volevano sottrarsi, che si ripresentano con uguale forza. L'unica differenza è che nel presente il bisogno di evasione si è tradotto in un suicidio lento e nella fuga della dipendenza.

In alcuni casi, le opportunità di crescita sono state «sprecate» nel corso di un'esistenza passata in cui non era possibile affrontare questioni dolorose, che forse erano nascoste da alterazioni dello stato di coscienza indotte dall'alcol e dalla droga. Anche se i problemi possono essere diversi, la tentazione di ricorrere alla stessa «scappatoia» può comunque ripresentarsi.

In ogni modo, l'unica maniera per liberarsi dalla radice del problema e dalla trappola della dipendenza consiste nell'affrontarli a viso aperto, e nel risolverli sia a livello spirituale che concreto.

La terapia della regressione può curare le cause della dipendenza, che potrebbero affondare in una situazione familiare difficile o in precedenti di violenza sessuale. Per alcuni pazienti, il nocciolo della questione potrebbe riguardare la rabbia o la violenza, dato che l'espressione di tali emozioni è facilitata dall'uso di alcol o droga. Per altri invece potrebbe imperniarsi sulla mancanza di coraggio o di autostima, dato che l'alcol fornisce un senso di pseudosicurezza.

Accetto raramente pazienti in fase di dipendenza acuta da alcol o droga, perché l'ipnosi non è efficace con chi è sotto l'influenza di tali sostanze. Nel caso, è bene svolgere un programma di disintossicazione in strutture idonee, oppure rivolgersi a gruppi come gli Alcolisti Anonimi (AA) o a analoghe organizzazioni per tossicodipendenti. Coloro che vengono da me, di solito si sono già disintossicati e sono disposti a risolvere i problemi principali della loro vita. Spesso hanno capito che la dipendenza è un sintomo, che permetteva di sfuggire a traumi dolorosi o di offuscarli e che provocava molto più dolore del trauma stesso.

Il lavoro sul bambino interiore e la terapia della regressione offrono la metodologia per liberarsi del trauma originario e del comportamento disadattato. Dal punto di vista del bambino interiore, un'abitudine pericolosa sembra essere il prezzo da pagare per alleviare un dolore enorme, ma, dal punto di vista dell'adulto, il dolore può invece sembrare sopportabile, e quindi superabile insieme al bisogno di ottundersi, narcotizzarsi e proteggersi.

I tossicodipendenti e gli alcolizzati in via di guarigione sono dei candidati eccellenti per la terapia della regressione, perché i loro problemi sono spesso la molla per un percorso spirituale. Liberarsi della dipendenza è fonte di grande soddisfazione e il processo di guarigione, che passa attraverso la comprensione, la fede e la saggezza, può servire ad accelerare la maturazione spirituale.

Sarah era stata alcolizzata per anni e periodicamente si lasciava andare a spese folli. Non soffriva però di una sindrome maniaco-depressiva né doveva assumere litio. Un'analisi attenta della sua vita e della sua infanzia rivelò dei forti squilibri familiari e una situazione di codipendenza dal marito. La psicoanalisi, durata otto anni, la terapia di gruppo e il programma di disintossicazione di un istituto specializzato si erano rivelati inutili.

Dopo che ebbe iniziato a esplorare le proprie vite passate, invece, i suoi comportamenti cambiarono radicalmente. Scoprì che nelle esistenze precedenti i suoi rapporti con i genitori e il marito erano caratterizzati dall'alcolismo e dalla violenza. C'erano stati episodi di stupro, omicidio, suicidio e ogni sorta di caos e confusione. Più che i particolari era il ricorrere degli stessi episodi a essere importante; rendendosi conto che la sua famiglia era condannata a ripetere all'infinito questo dramma distruttivo finché non avesse appreso la lezione, Sarah decise di spezzare il ciclo.

«Devo perdonarli» disse dopo aver riflettuto sui ricordi di una sua precedente morte «e posso farlo solo con l'amore. Devo far capire loro il mio amore dimenticando e perdonando... devo perdonarli... e perdonare me stessa.»

E così fece. Sarah ora pratica regolarmente la meditazione, fa servizio di assistenza volontaria agli handicappati e ha smesso di abusare di alcolici o di usare il denaro per gratificarsi.

La presa di coscienza di uno schema comportamentale distruttivo, ripetuto in più esistenze nella sua famiglia e in se stessa, e l'esperienza del profondo stato di rilassamento, quasi di grazia, indotto dall'ipnosi l'hanno aiutata a guarire. Sembrava parlarmi da un livello di consapevolezza, di maturità e di distacco più alti, non dava segni di rabbia, ansia o ipercriticismo e riusciva a vedere chiaramente gli schemi comportamentali, le cause e gli effetti, le radici dei sintomi, le manipolazioni e così via. Era come se la sua percezione della realtà si fosse allargata e acuita.

Ho constatato che la terapia della regressione può affiancarsi al programma di recupero dei Dodici passi degli Alcolisti Anonimi, citato qui di seguito:

1. Noi abbiamo ammesso la nostra impotenza di fronte all'alcol e che le nostre vite erano diventate incontrollabili.

2. Siamo giunti a credere che un Potere più grande di noi avrebbe potuto riportarci alla ragione.

3. Abbiamo preso la decisione di affidare la nostra volontà e le nostre vite alla cura di Dio, come noi potremmo concepirLo.

4. Abbiamo fatto un inventario morale profondo e senza paura di noi stessi.

5. Abbiamo ammesso di fronte a Dio, a noi stessi e a un altro essere umano, la natura esatta dei nostri torti.

6. Eravamo completamente pronti ad accettare che Dio eliminasse tutti questi difetti di carattere.

7. Gli abbiamo chiesto umilmente di eliminare le nostre deficienze.

8. Abbiamo fatto un elenco di tutte le persone che abbiamo leso e abbiamo deciso di fare ammenda verso tutte loro.

9. Abbiamo fatto direttamente ammenda verso tali persone, laddove possibile, tranne quando, così facendo, avremmo potuto recare danno a loro oppure ad altri.

10. Abbiamo continuato a fare l'inventario personale e, quando ci siamo trovati in torto, lo abbiamo subito ammesso.

11. Abbiamo cercato attraverso la preghiera e la meditazione di migliorare il nostro contatto cosciente con Dio, come noi potremmo concepirLo, pregando solo di farci conoscere la Sua volontà nei nostri riguardi e di darci la forza di eseguirla.

12. Avendo ottenuto un risveglio spirituale, come risultato di questi Passi, abbiamo cercato di trasmettere questo messaggio agli alcolisti e di mettere in pratica questi principi in tutte le nostre attività.

La terapia della regressione trova molte corrispondenze con i Dodici passi. Alla base di entrambi c'è la spiritualità, il riconoscere una forza o una volontà superiore, che però non implica una religione tradizionale, dato che tale forza può trovarsi in noi stessi.

La spiritualità è una forza vitale, che trasforma la nostra vita e i nostri valori, ci rende meno violenti, avidi, egoisti e paurosi. Dopo aver sperimentato tutto questo, ci si rivolge agli altri, che a loro volta trasmettono il messaggio ad altri ancora.

In fin dei conti, sia per l'obesità che per le dipendenze, e in realtà per ogni forma di sofferenza, il processo di guarigione si innesca dopo che ci si è liberati della paura.

Il meccanismo fondamentale della terapia consiste nella sublimazione della paura in amore. Coloro che sono regrediti trasmettono ad altri questo messaggio di guarigione e lo praticano nella loro vita.

Come? Semplice: conoscendo se stessi, rivolgendo lo sguardo dentro di sé, comprendendo e diventando più saggi, crescendo nella gioia e nella pace. È questo il segreto di ogni cura per mezzo della regressione.

VIII
Guarire la sofferenza

In un ospedale universitario di una grande città un uomo di cinquantacinque anni stava morendo di cancro al polmone. Per un po' di tempo la chemioterapia era riuscita a fermare il decorso della malattia, ma alla fine il tumore aveva preso il sopravvento. Leonard stava aspettando la morte e, quando poteva, parlava con sua moglie Evelyn o con i dottori. Fortunatamente aveva trovato medici che ascoltavano volentieri.

«Quanto tempo ho ancora?» chiese un giorno Leonard al suo dottore.

«Non lo sappiamo. Potrebbe accadere in ogni momento, ma potrebbe durare a lungo» rispose lui. Poi medico e paziente discussero della necessità di lasciare ogni cosa e di accettare l'idea di morire. Anche la moglie partecipò al dialogo, dando e ricevendo conforto con le parole e i pensieri.

In seguito marito e moglie chiacchierarono sempre più spesso e passarono sempre più tempo insieme: era come se in loro si fosse aperto un varco.

Il livello di vigilanza di Leonard cominciava a deteriorarsi con il peggiorare delle sue condizioni. A volte era in uno stato semicomatoso, in altri momenti era abbastanza vigile. Evelyn pensò che avesse delle allucinazioni.

«Leonard si sente fluttuare in aria» confidò un giorno la donna al medico.

«Forse non sono allucinazioni» rispose lui. «Molti pazienti mi raccontano la stessa cosa. Le ha detto altro? Mi interessa molto sapere di queste esperienze.»

L'oncologo aveva simbolicamente lasciato aperta una porta: aveva fatto sapere a Evelyn che era normale comunicargli ciò che le raccontava Leonard, per quanto strano o insolito fosse.

Il giorno dopo, mentre il medico faceva il suo giro in corsia, Evelyn gli riferì una novità.

«Mi ha raccontato di aver fluttuato di nuovo e di sentirsi bene. Sentiva della gente parlare dietro la porta e si è diretto verso di loro.» Il dottore pensò che parlasse delle infermiere che chiacchieravano tra loro fuori dalla sua stanza.

«No» lo corresse Evelyn. «Erano persone che lo aspettavano per accoglierlo.»

L'indomani Leonard era agli sgoccioli.

«Mi ha detto di aver di nuovo fluttuato per aria» confidò Evelyn al medico. «È andato dalle persone dietro la porta.»

Leonard annuiva dal letto mentre Evelyn ripeteva la storia. «Quelle persone gli hanno mostrato un grande libro, dove c'era il nome che avrebbe avuto nella sua prossima vita. Sembrava pachistano o indiano. Mi ha riferito il nome, ma non è riuscito a leggere il cognome.»

Leonard si sollevò sul letto «L'avevano coperto» mormorò. «Mi hanno detto: "No, non puoi ancora vederlo".»

Più tardi quello stesso giorno Leonard raccontò a Evelyn di aver visto un autobus venuto per portarlo via. Poi pronunciò una frase appena percepibile.

«La morte non è perdita» bisbigliò. «Fa parte della vita.»

Furono le sue ultime parole. Quello stesso pomeriggio spirò.

Evelyn lo pianse, ma era serena, aveva la certezza che l'anima del marito sarebbe sopravvissuta alla sua dipartita. Le ultime parole di Leonard le avevano fatto cambiare idea sulla morte: il pensiero che fosse inevitabile non la opprimeva più. Serenità e pace erano con lei.

Il medico che aveva in cura Leonard era Peter Weiss, mio fratello minore. Lui e sua moglie, Barbra Horn, si sono specializzati in ematologia e oncologia a St. Louis, nel Missouri. Entrambi lavorano all'ospedale della facoltà di Medicina della Washington University e privatamente si dedicano alla cura dei casi di cancro.

La vita di Peter e Barbra è stata sconvolta, dal punto di vista personale e professionale, dai rapporti con i loro pazienti e dalle discussioni con me riguardo alle esperienze, nostre e di nostri colleghi, con la vita e la morte, esperienze che ci hanno insegnato molto su cosa significhi lasciare questo mondo.

Siamo grati ai pazienti come Leonard, perché la loro testimonianza ci ha fornito nuove informazioni e nuove prospettive che speriamo di mettere a frutto con altri malati terminali e con chi li piange, per confortarli e per guarirli. Da tali pazienti abbiamo imparato che la morte non è soltanto paura, perdita e separazione, ma che anzi può essere un momento di guarigione, espansione e nuovo inizio.

Peter aveva in cura un paziente di nome Matthew, uno stoico professore sessantacinquenne, restio a esprimere quel che pensava mentre si stava spegnendo per un cancro al pancreas, molto doloroso e rapido. Matthew alla fine cominciò a confidarsi con il suo medico. Di nuovo Peter lasciò intendere sottilmente al suo paziente che non aveva nessun problema a parlare di qualsiasi cosa, per quanto insolito fosse l'argomento.

«Effettivamente, ora che mi ci fa pensare, è successa una cosa strana» ammise il professore. «È comparso un angelo e mi ha chiesto se fossi pronto ad andare. Gli ho chiesto se dovevo e lui ha risposto di no e se ne è andato.»

Peter domandò al professore come mai era sicuro che si trattasse proprio di un angelo.

«Per la luce brillante che lo circondava e che emanava da dentro e per il posto che occupava nella gerarchia celeste» fu la sua enigmatica risposta. Alcuni giorni dopo l'angelo ricomparve.

«Non sei ancora pronto?» gli chiese gentilmente.

«No» rispose il professore.

L'angelo indugiò. In quel periodo il cancro stava progredendo rapidamente e gli procurava dolori atroci; Matthew doveva prendere dei potenti analgesici, ma riusciva comunque a restare lucido e vigile.

Il professore osservò l'angelo mentre avvicinava la mano al suo addome e ne toglieva qualcosa che sembrava un mattone scuro.

Il dolore scomparve immediatamente e il paziente si sentì molto meglio. L'angelo quindi se ne andò.

Gradualmente la sofferenza ritornò, e l'angelo tolse un altro mattone. Matthew non sentiva più alcun dolore, tanto che la somministrazione di analgesici venne interrotta. Le visite dell'angelo guaritore davano grande conforto e speranza a quest'uomo razionale e stoico.

Le sue condizioni cliniche peggiorarono ulteriormente e Matthew, che era stato preda di dolori e spasmi, morì in pace e serenità: doveva aver risposto «Sì» alla domanda dell'angelo.

Medici e terapeuti sanno molto poco sulla morte e sul dolore. Chi tra noi ha sofferto personalmente una perdita forse può capire un po' di più, ma fondamentalmente i miei colleghi non possono fare altro che descrivere le fasi della morte e i sintomi del dolore.

Non possono spiegare cosa accade a chi sta avanzando verso la morte e oltre, né fornire strumenti per alleviare il lutto. È chiaro che non possiamo pretendere di conoscere l'intero processo spirituale che si dipana nella morte, ma vicende come quella di Leonard e Matthew ci forniscono utili indizi.

La terapia del dolore deve tener conto anche di esperienze psichiche e spirituali. Chi ha sperimentato la regressione a vite passate, lo stato di premorte e quello tra due vite, i viaggi extracorporei e i fenomeni psichici relativi alla vita o alla coscienza extracorporea, di solito non prova un dolore molto profondo e intenso. Costoro hanno una conoscenza in più rispetto agli altri: hanno la certezza che la coscienza è immortale.

Spesso, pazienti che sanno di essere prossimi ad andarsene cominciano a piangere la propria morte. Questo processo può avere inizio, per esempio, con la diagnosi di una malattia come un cancro incurabile. Il malato può provare un senso di negazione, di rabbia, di disperazione e anche i suoi amici e familiari possono sentirsi in lutto molto prima della sua morte reale.

Il dolore può diventare facilmente depressione. In tal caso spesso si prova un senso di impotenza, di disperazione, di assoluta incapacità di agire. Intanto la sofferenza psicologica si acuisce e si allarga, mentre il riposo, la concentrazione, l'appetito e le forze vengono meno. Ogni tentativo di consolare un amico afflitto e di distrarlo dalla disperazione è inutile.

Il dolore dei malati e dei loro familiari, però, può essere alleviato prima della morte. Se essi riuscissero a comprendere esperienze meravigliose, come quelle riportate in questo libro, comincerebbero a provare un senso di speranza. I moribondi e gli afflitti possono essere incoraggiati a comunicarsi i propri sentimenti, a parlare della possibilità di ritrovarsi e riabbracciarsi, a esprimere il proprio amore e ad accettare con più facilità e serenità la morte. Un momento così temuto potrebbe allora trasformarsi in un'occasione di condivisione, franchezza, amore e forse anche ironia.

Un'altra paziente di Peter, Silvia, matriarca di una numerosa famiglia di italoamericani, stava morendo per un attacco acuto di leucemia. Era molto serena mentre si avvicinava alla sua morte, e la riteneva più imminente di quanto pensasse Peter.

«Domenica morirò» annunciò un giorno Silvia.

«Come lo sa?» le chiese Peter.

«Lo so e basta» rispose lei.

Quando Peter, quella domenica mattina, entrò nella stanza della sua paziente, vi trovò riunita l'intera famiglia. Era presente anche un prete che le somministrò l'estrema unzione.

A un certo punto l'ecclesiatico esclamò: «E ora Dio ci manderà un messaggio». Squillò il telefono, ma non era Dio.

Tutti si misero a ridere e la tensione si allentò.

Quel giorno, nel pomeriggio, Silvia ebbe una vivida esperienza extracorporea: veniva attirata da una luce calda, bella e confortante, che più tardi descrisse a Peter come tridimensionale e accogliente. Forse era questo il messaggio di Dio.

Silvia morì una settimana dopo.

Peter mi raccontò di un'altra sua esperienza memorabile con un malato terminale e la sua famiglia. «C'erano diciassette membri di una famiglia irlandese molto unita, tutti distrutti dalla paura e dalla rabbia per la morte ormai prossima del loro parente. Riuscii a prenderli in disparte uno alla volta e cercai di far loro capire l'essenza della morte, l'importanza di lasciare tutto, il modo in cui dire addio e quello in cui accettare l'inevitabile. Subito dopo si verificò una generale trasformazione e sollievo che mi lasciò sbalordito: cominciarono a parlare, ad abbracciarsi e ad amare. Ne fui profondamente commosso.»

Vicende come questa sono così straordinarie che spesso il paziente, riferendole a infermieri o a medici, teme che essi le banalizzino o le neghino e lo considerino strano o bizzarro. Se invece si rassicura il malato sulla validità della sua esperienza, la comunicazione tra medico e paziente assume un nuovo significato e il legame «terapeutico» si rafforza. Peter e Barbra si preoccupano di ascoltare e di parlare con i pazienti e i loro familiari, sentono la responsabilità di stare accanto al morente e di fornirgli non solo cure mediche, ma anche sostegno psicologico. Tutto ciò ha insegnato loro molto, è assai gratificante e inoltre conforta i malati. «Ormai non mi rovino più la salute» dice Peter «perché so che la morte fa parte della vita. Faccio sempre del mio meglio per curare i miei pazienti, ma ho smesso di considerarmi un fallito quando se ne vanno, se è inevitabile.»

Siamo alle soglie di una nuova forma di assistenza terapeutica, in cui i professionisti non si limitano a descrivere gli stadi del dolore, ma riescono anche a comunicare una visione più spirituale, aperta e illuminata di ciò che accade durante la morte. Il morente, l'afflitto e il medico devono però imparare e crescere insieme.

Secondo un sondaggio condotto nel 1990 dal Princeton Religious Research Center, una compagnia consociata alla Gallup Organization, circa la metà degli americani crede nella percezione extrasensoriale. Come le esperienze straordinarie relative al fatto di morire, anche quelle relative a un defunto possono provocare cambiamenti profondi nell'esistenza di una persona o nel suo atteggiamento verso la vita e la morte: integrando tali episodi sconvolgenti, è possibile guarire e crescere. Il dolore e la paura di morire diminuiscono in modo particolare quando le esperienze psichiche sembrano riguardare l'aldilà.

Due rispettati medici di Miami, marito e moglie, si rivolsero a me per espormi un fenomeno assai insolito cui avevano assistito entrambi. Il padre di lei era recentemente scomparso, in Colombia. Una settimana dopo la sua morte ne videro il corpo, avvolto di luce e quasi trasparente, che li salutava dalla soglia della camera da letto,

Entrambi, completamente svegli, si alzarono e andarono verso di lui per toccarlo, ma le loro mani lo attraversarono senza incontrare resistenza. L'uomo li salutò di nuovo e sparì all'improvviso. Non si dissero nulla.

Più tardi la coppia mise a confronto i propri appunti scritti: ambedue scoprirono di aver descritto la stessa figura fisica, lo stesso corpo radioso e lo stesso cenno di addio.

Riporterò un caso analogo, per cui devo ringraziare uno stimato docente di Psichiatria dell'University of Miami che volle incontrarmi dopo aver letto *Molte vite, molti maestri.*

Mi aspettavo un uomo cordiale ma scettico, ma rimasi sorpreso.

«Lei deve sapere» cominciò «che da molto tempo credo, in cuor mio, alla realtà di questi fenomeni paranormali. Anni fa mio padre sognò molto distintamente suo fratello, che, nonostante godesse di buona salute, gli era apparso per dirgli addio. "Devo lasciarti" gli aveva mormorato, "ma sto bene. Abbi cura di te." Quando mio padre si svegliò il mattino successivo, sapeva che suo fratello era morto.»

Di lì a poco, una telefonata confermò la sensazione di suo padre: durante la notte il fratello, che non aveva mai avuto problemi al cuore, era morto per un attacco cardiaco in una città a quasi ottocento chilometri di distanza.

Un'altro caso interessante mi è stato offerto da una lettera arrivata da Miami:

> Pur non avendo trovato il coraggio di parlarne per molto tempo, vorrei metterla al corrente di una mia esperienza relativa alla morte di una persona a me cara. Durante l'università, per due anni fui fidanzata a uno studente. Ci lasciammo, e due anni dopo mi sposai. Durante questo periodo lavoravo a New

York e venni a sapere che lui era impiegato a Los Angeles. Dopo alcuni mesi appresi che era morto in un incidente d'auto, ma, prima che amici comuni mi avvertissero della sua prematura scomparsa, mi era apparso in sogno per molte settimane di fila.

Ogni volta che lo vedevo aveva un aspetto disperato, piangeva e si chiedeva dove fosse. Mi domandava aiuto, non capiva in che limbo si trovasse e non sapeva ancora di essere morto. Non ero spaventata, ma ero preoccupata per il suo benessere. In quel momento ignoravo ancora che fosse rimasto ucciso. Dopo alcune sedute da un medium/consulente spirituale, mi fu riferito che il giovane in questione era effettivamente morto, era rimasto molto affezionato a me e, data la sua confusione, gli era parso naturale venirmi a cercare.

Facendo regredire i miei pazienti nelle loro vite passate, ho imparato che spesso chi è morto all'improvviso e violentemente rimane attaccato al piano terrestre, si sente molto confuso e si trova in una specie di limbo. Ma alla fine, comunque, trova la via per la luce meravigliosa e la presenza spirituale di una guida o amore universale e riesce ad andare avanti.

Fra coloro che si sono rivolti a me, molti hanno descritto visite analoghe subito dopo il decesso di una persona cara. Alcuni hanno affermato di aver ricevuto telefonate dal defunto e di esserne rimasti raggelati. A mio avviso, tali racconti mi sono stati riferiti da persone assolutamente normali e presenti a se stesse.

Sembra che lo scopo principale di vicende come queste sia di incoraggiare i vivi a guarire dal loro dolore attraverso una maggior comprensione. Come i pazienti di mio fratello Peter, chi ha avuto esperienze del genere capisce che non morirà mai, che solo il corpo muore. La morte è inevitabile, è crescita, è spostamento da una lezione all'altra e da una vita all'altra. Tutti noi moriremo e, in base a ciò che ho appreso grazie alla terapia della regressione, molti di noi lo hanno già fatto molte volte prima di questa vita.

Buone notizie, dunque. Ciò significa che siamo maturati molto, che abbiamo avuto modo di gustare nuove esperienze di vita conservando la forza, il talento e l'amore delle esistenze precedenti e che anche dopo la morte continueremo a crescere e maturare.

Martha guarì dal suo dolore come se fosse un premio per aver sperimentato la terapia della regressione. Martha, una ventiseienne tecnico di montaggio cinematografico, si rivolse a me, pur non accusando alcun sintomo, perché, come mi riferì, voleva provare a regredire per curiosità, per vedere «cosa ne sarebbe uscito».

Il semplice desiderio di esplorare e di saperne di più è una buona ragione per sottoporsi alla terapia della regressione: coloro che soffrono non sono i soli a poter progredire, maturare e crescere nella gioia grazie a questo particolare metodo di crescita spirituale.

Martha regredì rapidamente a un episodio chiave di una vita precedente. Si vide come un ragazzo che assisteva a un'impiccagione e si sentiva molto a disagio per gli scherzi pesanti dei suoi fratelli maggiori. Poi scorse la sua casa e riconobbe nel padre di allora quello attuale, recentemente scomparso. Nel corso della stessa esistenza, Martha venne arruolata nell'esercito, fece carriera, si sposò, trascorse una vita assolutamente normale e infine morì di vecchiaia su un letto di pietra. Assistendo alla propria morte, Martha abbandonò il suo corpo, volò verso la luce sopra di lei, attraversò il tempo e lo spazio con altri spiriti e infine si fuse a una grande luce dorata. Qui, mentre passava in rassegna la propria vita, commentò che la scena dell'impiccagione era stata molto importante, perché le aveva fatto capire la differenza tra il bene e il male e l'inutilità della violenza, anche se in quel momento la sua principale preoccupazione era quella di essere presa in giro dai fratelli.

Passando a un'altra vita, Martha si vide nei panni di un anziano dalla barba bianca, avvolto in ciò che sembrava una toga, che suonava una lira. Era il suo unico ricordo di quell'esistenza, ma aveva la netta sensazione che fosse stata piena e felice. Nella terza vita da lei rievocata, era una donna dai capelli scuri e dagli occhi verdi, madre di due figli che le davano molta gioia.

Al termine della seduta, cercammo di integrare l'esperienza di Martha. Mi disse che era felicissima di aver rievocato tre esistenze piene di amore e di felicità e che la regressione l'aveva aiutata. Alla sua età, con ancora tutto di fronte a sé, Martha dava molta importanza alla possibilità di ricordare delle buone vite precedenti da cui attingere forza e gioia per il presente. Le esistenze passate le sembravano reali, tangibili e concrete.

Martha aggiunse che era meravigliata per come la regressione l'aveva aiutata a guarire da un lungo periodo di sofferenza e di lutto in cui era caduta, quattro anni prima, per la scomparsa del padre. Inoltre, grazie alla regressione, aveva compreso di più sulla morte: ora sapeva di aver già conosciuto suo padre e di essere già vissuta, era dunque possibile che si incontrassero di nuovo. Quest'esperienza le aveva insegnato che la morte non è la fine di ogni cosa: forse suo padre non le era più accanto fisicamente, ma era certa che la sua coscienza esistesse ancora.

Per Martha, la guarigione dal dolore era giunta totalmente inaspettata. Molti pazienti, invece, si sottopongono alla regressione proprio per questo motivo.

Rena, è un'avvocatessa ventottenne impegnata sul fronte sociale, vedova di un famoso cronista. Molti anni dopo le nozze, Jim, il marito di Rena fece una tragica scoperta: era affetto da un cancro incurabile. Durante la sua malattia, Rena e Jim discussero spesso della possibilità della vita dopo la morte e dell'esistenza di un'altra dimensione. Lei credeva a entrambe, mentre lui era totalmente scettico.

Essendo abituato, in quanto giornalista, a privilegiare la razionalità, Jim aveva un pregiudizio professionale contro una realtà che non si potesse verificare in modo sperimentale e quindi si rifiutava persino di prenderla in considerazione. Inoltre, tentava di far recedere Rena dalla sua fede personale nella vita dopo la morte e nell'immortalità dell'anima, che, vista l'imminente perdita del marito, le erano di grande conforto e sostegno. I diverbi non cessarono neppure quando la salute di Jim peggiorò, anzi lui diventò sempre più acido, sia per la sua condizione che per le idee di Rena. Sembrava anche sempre più impaurito.

Alla fine Jim fu ricoverato ed entrambi seppero che non gli restava molto tempo. Poco prima che lui se ne andasse, però, accadde un fatto sbalorditivo: Jim raccontò con tutta calma a Rena di aver visto un vecchio, seduto su una sedia nella sua stanza, che gli aveva detto di essere lì per aspettarlo e portarlo con sé. Aggiunse che lei aveva sempre avuto ragione e che lui era nel torto, si scusò di essere stato tanto testardo e le augurò di poter continuare a approfondire e capirne sempre di più dopo la sua scomparsa.

Dopo aver detto queste parole a una Rena attonita, quest'uomo iroso, agitato e impaurito divenne sereno di fronte alla propria morte.

Il giorno dopo spirò.

Quando Rena venne da me, si dichiarò molto felice di essersi riconciliata con Jim su questo argomento importante e controverso prima della sua morte. Il meraviglioso cambiamento operato in Jim dalla comparsa del vecchio era stato avvertito anche da Rena, l'aveva confermata nelle sue convinzioni e, in un'occasione così difficile, era stato un dono molto prezioso.

Rena si era rivolta a me per diverse ragioni. Non era ancora riuscita a risolvere il dolore e l'ansia per la perdita del marito, aveva bisogno di assimilare ulteriormente quest'esperienza, anche dal punto di vista del profondo processo di maturazione e di guarigione che stava nascendo in lei, e infine voleva mantenere la promessa fatta a Jim di continuare a studiare ed esplorare l'idea di vita dopo la morte, la spiritualità e l'immortalità dell'anima.

La regressione di Rena fu molto interessante: non riguardò il suo rapporto con Jim, ma le portò un messaggio su nuove possibilità di apprendimento e di crescita.

Ritornò a una vita precedente in cui era un indiano d'America che si era preso cura dei figli malati dei padri pellegrini nel XVII secolo. Dopo la regressione, ricordò che da bambina, a scuola, aveva sempre fatto delle ricerche sui padri pellegrini e le era sembrato di sapere molte notizie su di loro. Sentiva di aver sperimentato la propria immortalità. E soprattutto la regressione le aveva svelato l'esistenza di talenti di cui ignorava l'esistenza e che avrebbe potuto sviluppare anche in questa vita.

Resta da vedere se ciò riguardi la medicina, l'assistenza pediatrica o gli inizi della storia americana. Il subconscio, la saggezza che ha permesso a Rena di rievocare quella particolare vita, potrebbe anche aver inviato al suo Io consapevole il messaggio che lei stessa ha aiutato Jim ad affrontare serenamente la morte.

Comunque la seduta, mirata a risolvere la sofferenza di Rena, ha favorito la sua crescita, come del resto la morte di Jim, e l'ha sorpresa offrendole un'altra chiave per comprendere la sua evoluzione e le ha indicato nuove strade da percorrere ed esperienze da compiere.

La vicenda di Jim e Rena è un esempio molto interessante del potenziale di crescita e di guarigione presente nell'esperienza della morte. Molti malati terminali affermano di essere stati visitati da una guida o da un saggio che li aspetta. Lo stato di lucidità del paziente non sembra essere determinante: sia egli vigile o meno, assuma o no dei farmaci, tali racconti non si possono etichettare aprioristicamente come allucinazioni. Se una persona cara descrive un fatto del genere prima di morire, non si hanno dubbi e si è certi che la sua esperienza è reale.

Philip, un programmatore di computer, si rivolse a me per guarire il suo dolore. Lui e sua moglie, Eva, avevano perso due figli, una femmina e un maschio, all'età rispettivamente di quattro e tre anni, per una rara anomalia congenita. L'aspetto più tragico della vicenda era che la morte del secondogenito si sarebbe potuta scongiurare: infatti, quando i medici diagnosticarono la malattia alla primogenita, dichiararono che non era ereditaria e che quindi la coppia avrebbe potuto avere un figlio sano. L'informazione però era infondata e Philip ed Eva dovettero patire di nuovo la perdita di un figlio, consapevoli che avrebbero potuto evitare la propria e la sua sofferenza. In loro si intrecciavano in modo devastante il senso di responsabilità, la perdita e il dolore.

La tragedia risaliva a molti anni prima quando Philip iniziò la terapia, ma la ferita era ancora aperta. Esperto di computer, laureato in informatica, Philip era portato alla logica e al ragionamento analitico, ma aveva delle salde radici cattoliche che l'avevano reso incline ad accettare i fenomeni spirituali. Dalla morte dei figli, frequentava un famoso medium, che sembrava in grado di comunicare con i suoi piccoli morti, e si sentiva confortato dalle sedute che gli permettevano di risolvere il suo dolore. Il medium però era da poco mancato e la sofferenza di Philip, che pensava di non aver più modo di rimettersi in contatto con i figli, si era riacutizzata.

Mi sembra che la terapia della regressione gli abbia fornito una nuova prospettiva per elaborare il lutto.

Philip si dimostrò un ottimo soggetto per l'ipnosi, scivolò subito in una profonda trance ipnotica ed ebbe una visione molto vivida e particolareggiata. Si vide in una bellissima radura tra i monti, circondato da una profusione di fiori in boccio. All'improvviso scorse i suoi figli, cresciuti, che correvano verso di lui e gli danzavano intorno, ridendo e cantando. Arrivarono poi i genitori di Philip, morti da tempo, e il suo nonno materno, cui Philip era particolarmente attaccato.

I bambini per primi, seguiti dai genitori e dal nonno, gli tesero la mano. Philip descrisse il tocco delle mani dei bimbi fra le sue, il senso di realtà dell'esperienza, la forza della loro stretta, il loro aspetto sano e maturo. Fissandolo negli occhi, comunicavano con lui in modo quasi telepatico: gli espressero il loro amore, gli assicurarono che non doveva preoccuparsi, che tutto andava bene e che erano felici nella radura e nella loro nuova dimensione. I loro occhi e sorrisi irradiavano gioia.

Nonostante la vividezza dei particolari e del paesaggio, questa non era certo una vita precedente, sembrava piuttosto un'altra dimensione.

Prima ancora di iniziare il processo di integrazione, mi accorsi che la regressione di Philip era stata catartica. Mi raccontò della sua felicità per aver conosciuto direttamente i figli, e, mentre descriveva la sensazione delle loro mani fra le sue, si mise a piangere di gioia. Quest'esperienza nella radura gli permise di liberarsi del rimorso, del dolore e del senso di impotenza che lo opprimevano da anni, gli fece capire che l'anima è immortale e lo aiutò a guardare alla vita con fiducia e ottimismo.

Dalla seduta, Philip si sente sempre immerso in una grande gioia. Il peso che ha gravato su di lui per tanti anni è definitivamente scomparso.

Gli scettici potrebbero commentare che ricongiungimenti come questo sono solo fantasie o desideri concretizzati. Fantasie e desideri, però, non sono in grado di far materializzare le forze salutari che agiscono mentre il paziente prende contatto con la natura eterna dell'anima e sperimenta i propri legami con i suoi defunti. Martha, Rena e Philip sono migliorati in modo straordinario dopo la loro esperienza con l'ipnosi, e in tutti loro il dolore e l'ansia sono scomparsi.

I protagonisti delle vicende qui narrate hanno imparato che la morte non è assoluta. È quest'idea che fa scattare il processo di guarigione: i nostri morti non sono perduti, il legame rimane vivo dopo la morte.

Chiunque abbia avuto esperienze analoghe sa bene che la morte, più che una fine, è un passaggio, è come attraversare una porta per entrare in un'altra stanza. A seconda del livello di crescita spirituale e psichica o dell'interesse, la comunicazione con chi si trova nell'altra stanza può essere chiara, intermittente o completamente assente. Ciononostante, qualunque sia la sua natura, essa può essere migliorata finché l'afflitto non capisce che la separazione non è permanente né assoluta. Come Martha e suo padre, abbiamo già condiviso con i nostri defunti altre vite, altre separazioni e riunioni. Come Philip, impariamo che la morte dei nostri cari riguarda solo lo stato fisico.

Chi soffre ha una grande speranza per il futuro: poter riabbracciare i propri cari. È difficile che il ricongiungimento avvenga entro gli stessi rapporti e le stesse circostanze di questa vita – per esempio un padre e una figlia potrebbero essere amici, o fratelli, o nonno e nipote – ma le anime continueranno a incontrarsi di nuovo.

Se pensiamo che la sofferenza di chi sta per spegnersi è dolore per la perdita di se stessi, allora la regressione può essere molto utile. Chi la prova o ne impara la lezione capisce che morire non vuol dire dissolversi nel nulla o nell'oblio. Alcuni pazienti mi hanno dimostrato che significa invece che l'anima, nella sua saggezza, non ha più bisogno del corpo e quindi decide di abbandonarlo e di esistere in una dimensione extracorporea e spirituale, in cui mantiene la sua coscienza e i tratti della sua personalità.

L'anima spesso ritorna a una nuova vita dotata degli stessi

talenti e delle stesse capacità che aveva in un'esistenza precedente. Talvolta, dopo essere regrediti a una particolare vita passata, abbiamo accesso a nuove abilità prima sconosciute.

Ci sono molteplici livelli di coscienza. Siamo esseri meravigliosi, caleidoscopici, pluridimensionali. Perché dovremmo limitarci mentalmente restringendo la definizione di noi stessi alla personalità e al corpo che esiste qui e ora? Lo spirito non è incapsulato nel corpo e nella mente cosciente. La parte dell'Io che esiste ora è, con ogni probabilità, solo un frammento dell'intero spirito.

Senza dubbio c'è la possibilità che, dopo l'incontro tra Philip e i suoi figli, in un'altra reincarnazione cresca e si espanda un nuovo aspetto delle anime di quei bambini. La versatilità e il potenziale delle anime sono illimitati, infiniti. Le idee e le esperienze abbozzate in questo capitolo sono probabilmente solo la punta dell'iceberg, se si deve tener conto di tutte le dimensioni dell'anima.

Il mistico Yogananda ha affermato che la vita è simile a una lunga catena d'oro posata sul fondo dell'oceano. Si può solo portarla a galla ed esaminarla un anello alla volta, mentre il resto si intravede dalla superficie, inattingibile e distante. Ciò che sappiamo della morte, anzi della vita e dell'anima, probabilmente è solo un anello di questa catena. Via via che integriamo il dolore e lo trasformiamo in crescita, saremo in grado di far venire alla luce sempre più anelli della catena di gioia e di saggezza dall'oceano dell'essere.

IX

Aprire la mente al potere delle esperienze mistiche

Recentemente sono stato ospite di una trasmissione radiofonica a Cleveland. Chi voleva intervenire chiamava da casa, dall'ufficio, dai cellulari e dalle cabine. Molti erano ben disposti e felici di comunicare le loro esperienze personali a me, al conduttore e a tutti gli altri ascoltatori, altri lo erano meno e una signora era particolarmente aspra.

«Non sa che è peccato?» sibilò.

Pensai che si riferisse al concetto di reincarnazione.

Non era così. «L'ipnosi è peccato» continuò. «Gesù ha detto che è peccato. Il demonio si può impossessare del corpo!»

Sapevo che Gesù non aveva mai nominato l'ipnosi. A quel tempo non si conosceva ancora questo termine che è entrato nell'uso solo nel XIX secolo, negli anni in cui visse Mesmer. Comunque prendo seriamente ogni domanda e ogni commento. Forse la signora si riferiva a certi stati alterati di coscienza, o di concentrazione direzionale, anche se il termine ipnosi non era stato ancora coniato.

Riflettei per un momento.

«Se l'ipnosi è peccato» azzardai, «perché l'arcidiocesi di Miami ci manda suore, preti e collaboratori per farsi curare con l'ipnosi?»

È vero: non si erano rivolti a noi per essere curati con la terapia della regressione, ma per oltre dieci anni si erano sottoposti all'ipnosi per smettere di fumare, perdere peso e alleviare lo stress.

La donna rimase silenziosa per alcuni secondi rimuginando questa notizia. Quindi riprese la parola, senza cedere di una virgola.

«Non so niente di Miami» sbottò in tono di sfida «ma a Cleveland è peccato!»
Il conduttore mi guardò cercando di trattenere una risata: avevamo appreso il concetto di peccato regionale.

Perché la signora era così arrabbiata? Probabilmente il concetto di ipnosi le era nuovo e costituiva una minaccia alla sua visione della realtà delle cose, alla sua idea dell'universo. Si era spaventata, ma almeno era stata sincera.

Quando racconto questo episodio durante i miei seminari, tutti scoppiano a ridere. Più d'uno, però, ride perché si autoriconosce, perché ammette che la sua visione della realtà e dell'universo è stata sfidata da un nuovo concetto che potrebbe rivelarsi estremamente importante. In effetti tutti, nella nostra vita, ci siamo dovuti confrontare con simili idee, anche se potrebbero essere diverse per ciascuno di noi. E tutti abbiamo in qualche modo tratto beneficio dalle conoscenze nuove e «minacciose» che si sono manifestate in qualche momento storico.

La storia è una grande maestra: ci insegna che è possibile crescere se si riesce a vincere la diffidenza verso i pensieri nuovi. Alcuni convincimenti hanno schiuso interi mondi alla scienza, all'economia, alla politica, alla letteratura e alle arti; altri hanno sconvolto la geografia e ridisegnato la mappa dei cieli. Le idee nuove hanno allargato i confini interni delle nostre capacità, dei nostri sentimenti, delle nostre conoscenze e della nostra comprensione.

Nel 1633 Galileo fu processato dall'Inquisizione per aver formulato una teoria, basata su osservazioni scientifiche compiute con il telescopio che egli stesso aveva inventato, secondo cui la terra ruotava intorno al proprio asse e intorno al sole. Galileo aveva confutato la teoria geocentrica dell'universo: era solo un'impressione che il sole girasse attorno alla terra. Eresia! dichiarò la Chiesa e Galileo fu rinchiuso in una torre. Per poter tornare in libertà, il brillante scienziato, già professore di matematica alla prestigiosa Università di Pisa all'età di venticinque anni, fu costretto ad abiurare.

Isaac Newton, nato nel 1642 nel giorno della morte di Galileo, si avvalse degli studi del suo predecessore per sviluppare la teoria meccanicistica di un universo regolato dalle forze della fisica e senza intervento divino. La tesi di Newton fu accettata e l'umanità cambiò per sempre la propria visione dell'universo.

Nonostante tutti gli sforzi della Chiesa, anche l'opera di Galileo fu riconosciuta. Oggi ogni scolaro conosce il suo nome, non solo per l'importanza del suo lavoro scientifico, ma anche per il modo in cui dimostrò che si può trovare la verità cercando dentro di sé, credendo nelle proprie idee ed esperienze e non fidandosi ciecamente del comune buonsenso. L'opera di Galileo ha schiuso nuovi orizzonti alla scienza, alla religione, alla storia intellettuale e culturale. I suoi studi hanno cambiato il modo in cui noi tutti vediamo la realtà.

Per l'ascoltatrice di Cleveland, potrebbe essere altrettanto drammatico accettare l'ipotesi che l'ipnosi possa guarire, che possa essere una chiave che apre la via a diversi tipi di crescita personale. Molti di noi, prima o poi, potrebbero venire a contatto con un'idea che ha lo stesso effetto sulla nostra vita. All'inizio di questo libro, ho parlato di come la mente si prepari all'esperienza della regressione, ma talvolta essa ha un ruolo molto meno marginale. Talvolta, durante la terapia, si arriva a capire che è il perno dell'intero processo di guarigione. Indipendentemente dalla nostra preparazione, potremmo scoprire che l'insegnamento più importante è proprio quello di aprire la mente e trasformare paure e limiti in conoscenza e gioia.

Per molti di noi, regredire può significare ammettere che una nozione, appresa da piccoli e magari utile alle nostre lotte, non è vera.

La convinzione scomoda potrebbe essere un insegnamento religioso, una valutazione sulla natura dell'universo, un'idea che riguarda la scienza o qualcos'altro di completamente diverso. Non ha importanza di cosa si tratti: dopo la regressione potremmo scoprire che tale convinzione interferisce con la nostra esperienza diretta della verità e forse, magari nel modo più subdolo e impercettibile, con la nostra felicità e crescita personale. Solo dopo aver superato questa contraddizione, possiamo cambiare il nostro vecchio modo di vedere e di pensare.

Ma, innanzitutto, come si acquisiscono tali convinzioni? Forse è stato un insegnamento in mala fede, o forse una lezione accettata acriticamente senza nessuna conferma nei fatti. In ogni caso la verità non cambia. La verità è assoluta e, come l'amore, costante.

Quando si accetta la verità, la vita acquista un nuovo significato. La lezione per alcuni è di aprirsi alla verità e all'amore.

Anita, una casalinga quarantaduenne, veniva da una famiglia italoamericana con una forte impronta cattolica. Quando venne da me per «vedere cosa ne saltava fuori», soffriva di una grave depressione per cui assumeva anche dei farmaci. Presentava la sintomatologia classica della depressione: umore disforico, sonno agitato, senso di disperazione e mancanza di energie. Questo quadro implica solitamente un senso di impotenza e in effetti il termine descrive perfettamente la situazione in cui versava Anita. Si sentiva oppressa dalla famiglia e dalla religione, e in particolare dal modo in cui queste due forze sembravano decidere della sua vita.

Durante il nostro primo incontro, Anita mantenne un atteggiamento molto deferente e riservato, ma allo stesso tempo confessò di avvertire una certa claustrofobia e un senso di soffocamento. Era molto depressa per i suoi rapporti con il padre, che si ostinava a comportarsi in modo autoritario ed esigente nei confronti della figlia ormai adulta. Le stavano stretti i limiti imposti dalle richieste del padre, ma allo stesso tempo si sentiva colpevole per la propria rabbia. Inoltre non se la sentiva di affrontarlo e di risolvere la situazione a causa della stretta obbedienza filiale che la sua visione del cattolicesimo. Cambiando atteggiamento, temeva di non riuscire più a considerarsi una buona cattolica.

Dato che era molto religiosa, la prospettiva di respingere Dio o di allontanarsi dal Suo cospetto era estremamente lacerante. La tensione tra la Chiesa e il desiderio di realizzazione personale aveva innescato un meccanismo psicologico che l'aveva fatta scivolare verso una disposizione biologica alla depressione, esacerbata dai rapporti con il padre. Per di più, era molto turbata dal fatto che il cattolicesimo non accettasse la reincarnazione, in cui lei credeva fermamente.

Pur non aspettandomi nulla di particolare dalla nostra seduta, non mi sarei sorpreso se Anita avesse rievocato una vita caratterizzata dal potere. Forse avrebbe ricordato un'esistenza in cui aveva abusato del potere, il che avrebbe spiegato la sua attuale timidezza e sottomissione all'autorità, oppure ne avrebbe descritta una che rifletteva o chiariva in qualche modo la sua situazione di «impotenza» o la sua esperienza con il padre.

Comunque, quando iniziammo la regressione, accadde un fatto insolito. Quando aprì la porta del suo passato, Anita non entrò in una vita precedente, andò invece in un luogo che sembrava trovarsi tra due vite, un giardino pulsante di luce viola e oro popolato di molti saggi. Improvvisamente, questa donna così deferente e riservata cominciò a rivelarmi delle profonde verità sull'amore e sulla saggezza.

«Se vuoi confortare qualcuno, non ascoltare le sue parole; le parole sono fuorvianti o false» mi consigliò con calma. «Vai diritto al cuore, diritto al cuore. Le sue parole potrebbero respingerti, ma lui ha bisogno di conforto.»

Quando udii queste espressioni mi rallegrai: altri pazienti avevano visitato lo stesso luogo e mi avevano riferito gli stessi concetti. Anita non era un'intellettuale, né una teologa, né una filosofa, né una psicologa, ma mi stava insegnando cose molto importanti sulla natura umana.

Non aveva ancora finito. Proseguì pronunciando un altro splendido frammento di pensiero dallo stato di transizione: «Far coincidere l'amore della mente e l'amore del cuore. Allora siamo in armonia, in equilibrio».

Aveva enunciato una frase molto vicina a una definizione esoterica classica di saggezza, che comporta la fusione della mente e del cuore. Mi trovavo di fronte a una donna che, senza avere alcuna nozione di filosofia, aveva cominciato spontaneamente a dare lezioni di saggezza.

Quando riemerse dalla regressione era profondamente colpita dalla sua esperienza mistica. Ne seguirono alcuni interessanti cambiamenti: l'impotenza che la bloccava cominciò a lasciare il posto a un senso di crescente responsabilità personale e di forza, la depressione sparì gradualmente per non ripresentarsi più. Ora che Anita ha sperimentato personalmente la verità, si sente meno oppressa dal cattolicesimo retrivo che prima la soffocava. È più sicura di riuscire a ridefinire i rapporti con suo padre, compito che ha intrapreso con grande entusiasmo, e riesce ad amarlo di più, perché con la regressione ha sperimentato profondamente e personalmente l'importanza dell'amore nella grazia.

Adesso è in grado di considerare suo padre un individuo come tutti, con le sue paure e i suoi limiti: lui è stato ridimensionato e lei è riuscita a perdonarlo.

Recentemente, Anita mi ha confessato che il fatto di aver sperimentato direttamente la verità le ha portato un inatteso regalo: delle capacità pranoterapiche. Per il momento ha scoperto che, imponendo le mani, fa abbassare la febbre, ma ha già incontrato alcuni famosi guaritori ed è convinta di essere solo all'inizio di una lunga strada, piena di sorprese e di gioie.

Un bambino affetto da un'anomalia cardiaca congenita fu sottoposto a tre interventi a cuore aperto, a tre mesi, a due anni e mezzo e a cinque, e rischiò di morire sotto i ferri più di una volta. A otto anni confidò a sua madre che, mentre era ancora incosciente dopo uno degli interventi, «otto signori cinesi» gli avevano fatto visita nel reparto di terapia intensiva e gli avevano dato informazioni sulla sua guarigione. Il piccolo aveva notato che uno di loro teneva in mano «una spada che continuava a roteare in aria» con cui si tagliava spesso la barba, che però ricresceva quasi immediatamente. Descrisse dettagliatamente tutti e otto i «signori cinesi».

Cercando di venire a capo dello sconcertante racconto del figlio, la madre trovò una raffigurazione fisica e filosofica dei suoi otto «cinesi». Si tratta dei Pa Hsien o Otto Immortali, rappresentazioni taoiste di personaggi storici che si erano guadagnati l'immortalità. Come aveva detto il bambino, uno di loro era Lu Tung-Pin, il patrono dei barbieri, che aveva avuto in premio una spada magica per aver superato dieci tentazioni.

Il piccolo sostiene che gli «otto signori cinesi» continuano a fargli visita e a dargli informazioni. Quest'esperienza mistica diretta sull'idea di verità e di guida, che egli accetta completamente e con gioia, gli fornisce conforto in momenti di incertezza e di timore. Privo dei filtri mentali degli adulti su cosa sia «giusto» o «sbagliato» credere e pensare, questo bambino è in grado di accettare direttamente una guida e un'esperienza spirituale. A differenza della madre, curiosa e armata delle migliori intenzioni, non ha bisogno di fare ricerche su questi fatti.

Una mia nuova paziente, Beth, una cinquantenne della Georgia che lavorava in proprio come agente immobiliare, era separata dal marito troppo oppressivo, che aveva anche avuto una relazione extraconiugale. Il divorzio era stato un deciso passo avanti dal punto di vista personale, ma adesso si rendeva conto di essere troppo coinvolta nella vita dei due figli ormai adulti, visto che, volendo compensare il distacco del marito nei loro confronti, si era fatta carico dei loro problemi sociali e professionali come se fossero suoi. La responsabilità verso i figli, aggiunta alle sue, le provocava un senso di depressione e di oppressione.

Beth non aveva alcuna familiarità con la letteratura esoterica. Aveva letto *Molte vite, molti maestri* e poco altro su fenomeni psichici, reincarnazione e argomenti del genere. Più che altro desiderava migliorare i rapporti con i figli e alleviare la tristezza e il senso di impotenza.

Sotto ipnosi, iniziò a descrivere un episodio che mi fece ripensare a ciò che sapevo di Edgar Cayce, il leggendario medium e veggente.

Beth era in un giardino magico o in una tenuta i cui prati, leggermente ondulati e punteggiati qua e là di strane strutture o costruzioni di cristallo, si stendevano a perdita d'occhio. Si fermò davanti a un edificio bello e imponente, ornato di marmo. A questo punto incontrò un saggio che indossava una tunica bianca e salì con lui la scalinata che portava nel palazzo. Aveva la sensazione che i gradini fossero vagamente familiari. Una volta entrata, scoprì che l'edificio aveva molte stanze, come una biblioteca.

La sua guida le indicò un'ampia camera e la condusse verso uno scaffale preciso. Lì Beth trovò un libro che aveva impresso sul dorso il suo nome, lo aprì alla pagina che riportava le vicende della sua esistenza attuale e poi, accorgendosi che poteva sfogliarlo all'indietro, si mise a leggere le sue vite passate. La osservai mentre esaminava il libro con gli occhi chiusi: sembrava assorbire e assimilare parecchio, ma non sentiva la necessità di parlarne con me. La guida le disse che le altre pagine contenevano le sue vite future, e la invitò a non leggerle con un tono di voce pacato e sereno. Nel libro Beth trovò anche il suo «nome spirituale». Dopo un'ora, riemerse al presente controvoglia.

La paziente depressa e rattristata che era entrata nel mio studio era scomparsa: mi magnificò la bellezza e l'eccezionalità della sua esperienza e il suo aspetto radioso era pieno della speranza di non avere nulla da temere.

Le era stato detto che era già stata in quel luogo, quando il tempo non era ancora maturo. Ecco perché la scalinata le era parsa familiare. Nel libro aveva letto la ragione per cui aveva scelto la sua vita attuale: gli ostacoli e le difficoltà che stava affrontando non erano casuali, erano stati previsti per accelerare il suo cammino spirituale. Queste sfide, secondo la guida, le avrebbero insegnato di più sull'amore, la gelosia e la rabbia, perché nei momenti difficili si raggiungevano i maggiori successi nella maturazione e nella crescita, mentre le vite tranquille erano più simili a un periodo di riposo.

Beth, come Anita, sembrava aver avuto un'esperienza mistica. Aveva visitato il posto dove le anime riposano, riflettono e si rigenerano tra una vita e l'altra, un luogo – descritto dettagliatamente in *Life Between Life* di Joel L. Whitton e Joe Fisher – dove l'anima compare di fronte ad alcune guide, fa un esame dell'esistenza appena trascorsa e decide in quale vita reincarnarsi.

Mentre Beth parlava, non sapeva esattamente quale libro stesse leggendo. Ignorava di trovarsi in un processo esoterico di riesame della vita. Stava semplicemente ottenendo le risposte di cui aveva bisogno, che in questo caso non si basavano su passate relazioni ma su lezioni spirituali. Ora capii che il vero interrogativo che l'aveva spinta a cercarmi era: «Perché ho scelto questa vita piena di difficoltà?». Grazie a quest'insolita esperienza di regressione, aveva trovato la sua risposta e aveva raggiunto una prospettiva più ampia e una speciale comprensione della spiritualità.

Il cammino spirituale, non c'è dubbio, viene accelerato con il superamento degli ostacoli. Difficoltà apparentemente insuperabili come gravi malattie psichiatriche o handicap fisici possono dare adito a un progresso, non a un regresso. A mio avviso, sono spesso le anime più forti a scegliere i carichi onerosi che offrono maggiori possibilità di crescita. È per questo che durante la regressione si rievocano spesso le esistenze difficili; quelle più tranquille, i periodi di riposo, sono raramente significative.

Beth aveva ritrovato una nuova serenità e nuove forze, oltre alla capacità di aver fiducia nella sua crescita futura. La sua percezione della realtà era cambiata radicalmente e quella delle proprie potenzialità e capacità di provare gioia si era incredibilmente allargata.

Talvolta superare la paura di comunicare nuove idee al mondo è motivo di grande soddisfazione. Ho rievocato nitidamente una vita passata per la prima volta durante una serie di massaggi shiatsu che dovevano curarmi dai miei dolori cronici alla schiena e alla cervicale.

Alcuni mesi prima della pubblicazione di *Molte vite, molti maestri*, mi rivolsi a uno specialista di massaggio shiatsu per le mie fitte ricorrenti. I trattamenti avvenivano nel più totale silenzio e io ne approfittavo per meditare. La terza seduta era cominciata da un'ora, il terapeuta mi massaggiava i piedi e io ero profondamente rilassato, quando all'improvviso vidi una scena di una vita precedente. Ero sveglio, non stavo dormendo e sapevo dove si trovava il mio corpo, ma nel fondo della mia mente si stava proiettando uno strano film.

Ero più alto e più magro, avevo una corta barba a punta e indossavo una tunica variopinta. Mi trovavo all'esterno di uno strano edificio e guardavo le piante. Attraverso lo sguardo di quest'uomo asciutto mi riconoscevo: sentivo le sue emozioni e vedevo attraverso i suoi occhi. Non sapevo se fosse una fantasia, ma continuai a osservare, esaminare, scrutare.

Era un'epoca molto antica e l'uomo era un sacerdote, un membro potente della gerarchia religiosa. L'edificio aveva una forma squadrata, con il tetto piatto, la base più larga e lati digradanti, aveva sei o sette piani, collegati da ampie scalinate, e su ognuno crescevano delle piante. Mi osservai mentre esaminavo le piante, grandi e verdeggianti, e pensai: «Sembrano piante tropicali, ma non sono quelle che crescono a Miami». Non ne avevo mai viste di simili. Gradualmente una parola si stagliò nella mia mente: ziggurat. Non sapevo cosa significasse.

Ritornai a guardare il sacerdote, continuando in questo scambio tra la sua prospettiva e quella esterna e globale. Divenni conscio della sua vita, e anche del fatto che i suoi ideali e la sua spiritualità avevano lasciato il posto ai valori materiali via via che scalava la gerarchia del potere e dell'autorità. Sembrava essere molto vicino alla famiglia reale e, invece di sfruttare la sua posizione per favorire i valori spirituali, la fratellanza e la pace, la usava per soddisfare avidità e lussuria e per avere più potere. Provai una grande tristezza: che spreco, tutti quegli anni di ricerca idealistica, di studio e di lotta gettati via per dei desideri mondani.

Il sacerdote morì di vecchiaia, completamente dimentico degli ideali e delle virtù della sua gioventù. Doveva abbandonare le sue ricchezze, il potere, la posizione e il corpo. Di nuovo fui invaso da una grande tristezza. Aveva sprecato una grande opportunità.

Quella sera mi ritornò in mente la parola ziggurat. Cercai nell'enciclopedia. Con ziggurat si intende un tempio di struttura geometrica a terrazze, esattamente come quello che avevo visto, risalente all'epoca assiro-babilonese. I giardini pensili di Babilonia erano un esempio di ziggurat. Ero sbalordito! Non ricordavo di aver mai studiato nulla del genere.

Qualche anno dopo, organizzai a Boca Raton un seminario di regressione di quattro giorni per terapeuti. Vi parteciparono quasi trenta professionisti, soprattutto psichiatri e psicologi, da tutto il paese. Lavoravamo dalle otto alle dodici ore giornaliere, sottoponendoci a regressione l'un l'altro. Un sistema chiuso, come quello, pieno di individui brillanti e carichi di energia, aveva creato un'atmosfera assai intensa, che mi colpì molto.

Ne fui tanto impressionato che la seconda notte mi svegliai nel bel mezzo di un sogno molto realistico, che continuò a dipanarsi mentre mi mantenevo in un profondo stato ipnagogico.

Il sogno attingeva alla memoria di una vita passata, trascorsa in qualche paese europeo nel Medioevo. Ero prigioniero in una specie di segreta sotterranea con le pareti di pietra, avevo un braccio incatenato al muro e venivo torturato perché diffondevo le mie convinzioni sulla reincarnazione, che era considerata eresia in questo paese cattolico. L'aguzzino forse era dalla mia parte, ma era tenuto a obbedire agli ordini. Dopo parecchi giorni di tortura morii.

Quando il sogno finì, ero ancora in stato ipnagogico, quindi fortemente creativo, e ricordai l'esistenza, rievocata anni prima, in cui ero il potente sacerdote della ziggurat mediorientale che aveva abusato del proprio potere per ottenere gratificazione materiale. Allora sentii una voce.

«Quando avevi la possibilità di insegnare la verità non l'hai fatto» diceva con calma e tenerezza. «Poi, quando non ne avevi la possibilità, l'hai fatto. In quella vita, ti sei sacrificato per le tue idee quando non ce n'era bisogno. Avresti potuto comunque dare il tuo contributo facilmente e felicemente riguardo all'amore. In quel momento non serviva forzare i tempi. Questa volta» continuò la voce sempre gentile e affettuosa riferendosi al presente «comportati come devi.»

In quel momento compresi che, tra gli scopi della mia vita, c'era anche quello di trasformare la paura in amore e saggezza. Non dovevo e non potevo aver paura di insegnarlo.

Invischiati nella routine del quotidiano, concentrati sulla carriera, sulle apparenze, su ciò che gli altri pensano di noi, siamo così presi dalle preoccupazioni e dall'ansia che ci dimentichiamo del nostro Io spirituale, della nostra verità assoluta, delle nostre energie interiori. Badiamo tanto alla nostra reputazione, alla posizione, al timore di essere manovrati, di sembrare stupidi, che perdiamo il coraggio di dedicarci alla spiritualità. Siamo troppo timorosi per conoscere e sperimentare il nostro amore e la nostra forza.

I tempi stanno cambiando. Gli scienziati che hanno il coraggio delle loro idee non vengono più imprigionati come Galileo. La lotta è diventata interiore. I confini tra conoscenza intellettuale ed esperienza mistica sono vaghi.

Recentemente alcuni studiosi di una grande università mi hanno contattato: collaboravano con un maestro cinese taoista per scoprire un modo per descrivere, spiegare e riprodurre l'arte del Qi Gong, che porta alla guarigione tramite i movimenti, la meditazione e l'energia interna. Era il matrimonio tra scienza occidentale e misticismo orientale. Fui invitato a spiegare il concetto di regressione, componente essenziale della modalità curativa del Qi Gong. Con il mio arrivo questi uomini di scienza cominciarono a interessarsi alla reincarnazione.

Avvengono molti incontri del genere, in diverse parti del paese. Scienziati e psichiatri stanno diventando i mistici degli anni Novanta. Oggi confermiamo ciò che gli antichi mistici avevano intuito: siamo tutti esseri divini. Lo abbiamo saputo per migliaia di anni, ma l'abbiamo dimenticato e, per ritrovare il nostro potere e la via del ritorno a casa, dobbiamo ricordare la verità e il cammino.

X
Una vita più ricca

Blair, una donna molto ricca e affascinante, si rivolse a me per risolvere i suoi problemi coniugali. Secondo lei il marito le toglieva ogni spazio di manovra per farla sentire impotente.

Durante la regressione, Blair ricordò di essere stata un indiano americano di una tribù delle Grandi pianure. Descrisse una scena in cui camminava verso nord, solo, affondando faticosamente nella neve fresca che scricchiolava sotto i suoi passi. Si sentiva un tutt'uno con la natura e il paesaggio che lo circondava, rasserenato dal semplice atto di passeggiare, e assaporava ogni attimo, godendo della perfezione della solitudine.

Mentre continuava il suo viaggio nella neve, Blair si meravigliò della propria forza, della conoscenza della natura, del senso di equilibrio, di armonia, potere e bellezza. Cominciò ad apprezzare la propria capacità di annullarsi nello scorrere delle cose e il piacere che ciò gli procurava.

Quando integrammo le sue memorie dopo la regressione, Blair riconobbe che il senso di libertà e le altre sensazioni che aveva vissuto erano esattamente quelle di cui aveva bisogno nella sua vita in quel momento. Poteva essere felice, appartarsi in solitudine: la sua realizzazione non dipendeva più dal marito, perché lei era altrettanto forte e autosufficiente. Tali prerogative non erano più una fantasia, le aveva provate: fossero solo ricordi di una vita passata o fossero amplificati da una metafora, le avevano permesso di attingere alla parte più forte e libera di sé e di superare circostanze, per lei limitanti, della sua vita.

Anche se la terapia della regressione risolve rapidamente e alla radice gravi problemi fisici ed emotivi, non è necessario stare male per valersene. Molte persone serene, produttive ed efficienti ne traggono giovamento per problemi apparentemente minori.

Felice, una trentenne assai attraente, presentava sintomi non molto gravi, ma che pure influenzavano negativamente la qualità della sua vita: soffriva di scarsa autostima, di insicurezza e aveva paura del buio. Durante la regressione, si vide come una ragazza brutta e deforme che abitava in una caverna con il suo clan. Schernita e dileggiata per il suo aspetto, era stata emarginata dalla comunità e viveva in solitudine, rannicchiata nell'angolo più buio e profondo della grotta, perché nessuno potesse vederla. Alla fine morì in giovane età.

Quell'esistenza, ovviamente, era legata in qualche modo alla sua scarsa autostima: in lei riemergeva una parte del dolore e della scarsa considerazione di sé di allora, per quanto non ne esistessero più i fondamenti fisici, e là sembrava radicarsi anche la sua paura del buio.

Quando Felice capì le cause dei suoi sintomi, la sua autostima e la sicurezza in se stessa migliorarono notevolmente.

Hank era un giovanotto che sembrava avere tutto. A neanche trent'anni era un brillante procuratore con reddito elevato, un aspetto atletico e un grande successo con le donne. Nel complesso non aveva problemi, tuttavia venne da me lamentando senso di insoddisfazione, malessere, depressione periodica e ansia. Sentiva la mancanza di obiettivi nella vita.

Durante la regressione, Hank vide una scena del 1874 in cui era un ex schiavo di colore. Il ricordo era solo il frammento di un momento chiave, ma era nitido: era rinchiuso in una capanna buia e veniva frustato da una mano ignota. Nonostante fosse così breve, l'esperienza lo colpì molto: non gli offriva un'illuminazione decisiva sui problemi specifici del presente, ma, a suo parere, gettava nuova luce su alcune ombre che lo perseguitavano, come le sue ribellioni adolescenziali.

Dopo la seduta, si sentì decisamente meglio. La regressione a quella vita passata sembrava aver dato nuova linfa alla sua esistenza. Il malessere e l'infelicità scomparvero. L'apparenza della sua vita di ogni giorno, comunque buona, non mutò, ma Hank era più contento, perché sapeva di poter attingere a una saggezza superiore. Si rese conto che le circostanze e gli eventi della vita attuale avevano uno scopo e che la morte non era la fine di tutto.

La terapia della regressione può dunque portare alla luce forze di cui ignoriamo l'esistenza, come nel caso di Blair. Molti, come Felice, possono giovarsi della regressione per riconoscere le cause di una percezione di sé distorta. E, come per Hank, la terapia può risolvere un senso di mancanza di aspirazioni e trasformarlo in serenità e maggiore obiettività, attraverso un'esperienza diretta e personale di spiritualità e di saggezza superiore.

Se avete un blocco creativo, la terapia della regressione può talvolta farvi risalire alle sue origini in una vita precedente e nel contempo rimuoverlo, schiudendovi nuovi orizzonti di creatività, forza e libertà.

Tricia, una famosa e brillante conduttrice televisiva di dibattiti politici, molto apprezzata nel suo lavoro estremamente stressante, voleva diventare scrittrice. Però, pur essendo intelligente, versatile, e riuscendo a improvvisare su qualsiasi argomento, non riusciva a mettere una parola sulla pagina bianca. Si sottopose a terapia per risolvere il suo blocco dello scrittore.

Durante la regressione, Tricia si vide nell'Europa di qualche secolo fa, era un esattore delle tasse e, ogni volta che riscuoteva un tributo, lo annotava con una penna d'oca su un grosso registro. Un giorno una povera donna vestita di sacco gli fece visita, accompagnata dai numerosi figli, e gli chiese di condonarle il suo debito: i soldi le servivano per sfamare la famiglia.

Temendo che un atto del genere avrebbe avuto la conseguenze di fargli perdere il lavoro e lasciarlo in povertà, l'esattore aveva semplicemente continuato ad annotare sul suo registro: si pentì sempre di essersi comportato così.

Tricia riuscì a collegare questi ricordi con gli aspetti positivi della sua vita, compresa la sua attenzione alle questioni sociali. Capì anche le ragioni del suo blocco creativo: scrivendo aveva provocato tanta infelicità. Così fece chiarezza dentro di sé, e poté finalmente cominciare il suo libro.

Ebbi una volta come paziente un famoso musicista che si era rivolto a me per un blocco creativo che lo aveva costretto a diradare le sue apparizioni e a non incidere più dischi.

Risolvemmo il problema in una seduta.

Cadde presto in un profondo stato di trance e rievocò nitidamente un'esistenza precedente nell'Irlanda del XIX secolo. Anche allora aveva talento, ma era stato severamente punito per aver trascurato i suoi studi e perché era più dotato del padre e del fratello. Era una situazione senza via d'uscita. Non aveva la forza né il coraggio di opporsi alla sua famiglia, da cui dipendeva totalmente, e così preferì non valorizzare le sue capacità, che lo appassionavano e lo riempivano di gioia.

Passarono gli anni. Divenuto sempre più insofferente, il giovane decise di lasciare la sua casa e di andare in America, ma morì durante la traversata per un'epidemia scoppiata sulla nave.

Discutemmo i particolari di quell'esistenza dalla prospettiva più ampia fornita dal suo super-Io dopo la morte. Era ancora ipnotizzato.

«Ho sprecato la mia vita» commentò. «Avrei dovuto avere il coraggio e la fede di far fruttare il mio talento. Non mi stimavo abbastanza allora e davo valore alle cose sbagliate. Ho lasciato perdere per paura, non per amore della mia famiglia: temevo di essere rifiutato. Mi avrebbero voluto bene comunque, ma me ne sono accorto troppo tardi. Ed è stata la loro paura che li ha indotti a fermarmi. Anche loro devono imparare altre cose sull'amore. L'amore è tutto.»

Riemerse dallo stato di trance ancora visibilmente scosso. Il suo blocco creativo svanì rapidamente e lui tornò a essere il brillante esecutore di prima con rinnovato entusiasmo.

Il dottor Robert Jarmon aveva un caso assai affascinante: un giovane dirigente, senza particolari problemi, si faceva prendere da angosce e timori improvvisi a ogni plenilunio.

La ragione del suo comportamento andava ben al di là della forza di gravità, dell'effetto delle maree e dell'equilibrio dei liquidi.

Il dottor Jarmon fece regredire il paziente a un episodio in cui, da giovane, aveva dovuto rinunciare a una serata con gli amici per fare il turno di notte a una stazione di servizio aperta ventiquattr'ore al giorno. I suoi amici furono coinvolti in un grave incidente e due di loro morirono. Era una notte di plenilunio. Il dolore e il senso di colpa sembravano essere collegati alla luna piena. Il dottor Jarman cominciò a spiegare che l'incidente apparteneva al passato e che il lutto e gli altri ricordi e sentimenti legati alla vicenda potevano ora scomparire.

Il paziente in ipnosi lo interruppe.

«Potrebbero prenderci. Facciamo molta attenzione. Stasera c'è la luna piena.»

Con grande sorpresa del dottor Jarmon, il paziente era regredito spontaneamente a una vita in cui era un soldato americano, in Europa durante la Seconda guerra mondiale. Ricordava di essere stato catturato dai tedeschi e di essere stato fucilato alle spalle in riva a un fiume. Nell'acqua si riverberava la luce della luna.

Il giovane riuscì anche a ricordare il suo nome di allora, l'università che aveva frequentato verso la fine degli anni Trenta e la data della sua laurea. Sua moglie in seguito condusse delle ricerche e accertò che effettivamente in quell'università si era laureato qualcuno con quel nome. La data era sbagliata di un anno.

Dopo che ebbe rievocato la morte come soldato, la sua strana apprensione per i pleniluni scomparve.

Forse la parola lunatico e molte delle leggende popolari che parlano dei bizzarri effetti della luna piena sulla nostra psiche affondano le loro radici nei nostri ricordi ancestrali. Dopo tutto, fissiamo la luna piena ormai da millenni.

Ruth era una bravissima poliziotta trentenne, il cui lavoro richiedeva nervi saldi e testa a posto. Quando rientrava di notte, però, era colta da attacchi di ansia e rabbia e aveva incubi nel sonno. Molti tutori dell'ordine potrebbero accusare reazioni analoghe ed è possibile che si tratti di un caso di stress professionale. Quando Ruth venne da me, regredì a una vita in cui era una pallida donna della Normandia, con in testa una cuffietta bianca, che era stata rinchiusa ingiustamente in un edificio non meglio identificato.

Nel corso di quell'esistenza, Ruth aveva subito passivamente la decisione di essere confinata, senza sfogare la sua rabbia né emendare gli errori per cui era stata rinchiusa. Si rese conto di trovarsi davanti a una lezione che doveva imparare per il presente. Come poliziotta, Ruth ha un grande senso della giustizia, un tratto di personalità probabilmente influenzato dalla sua vita precedente. Comunque la regressione pareva averle lasciato un residuo di rabbia che le impediva di essere completamente serena e felice. In un certo senso stava compensando le esperienze dell'altra vita in modo sano, ma in un altro sembrava eccedere, come se digrignasse i denti e dicesse: «Non permetterò che mi accada di nuovo una cosa del genere».

Talvolta attorno a un messaggio causa-effetto come questo ruota l'intera seduta di regressione. Potrebbe trattarsi di un'informazione particolare, che deve essere imparata e assimilata perché il paziente cresca o semplicemente vada avanti. I ricordi di Ruth la aiutarono a comprendere il motivo della sua rabbia, e il tema dei suoi incubi ricorrenti, che riguardavano un senso di intrappolamento, confinamento e paralisi ed erano probabilmente legati alla sua prigionia.

Gli incubi di Ruth sono scomparsi e l'angoscia è diminuita, anche se a volte si ripresentano ancora degli accessi d'ira. Ora però, quando sente salire la rabbia, è in grado di controllarla molto più rapidamente e ne è meno spaventata. La terapia della regressione l'ha aiutata a dissipare due ombre che aleggiavano sulla sua vita e a diminuire e controllare quella rimasta.

Alice, una mia paziente ventisettenne, soffriva fin dall'infanzia di attacchi d'ansia e diffidava di tutti, due sintomi molto diffusi nella nostra società. Dopo che suo padre l'aveva rinchiusa in uno sgabuzzino, spaventandola moltissimo, non era più riuscita a fidarsi dei genitori.

Durante la regressione, Alice ritornò a un'antica vita, durante la quale era stata sepolta viva da bambina: era stata contagiata da un'epidemia che aveva falcidiato il suo villaggio, aveva preso la febbre e probabilmente aveva perso conoscenza o era addirittura in coma, quando era stata data per morta. Si era svegliata in preda al panico nella tomba, furiosa per aver dovuto lasciare quell'esistenza, comprendendo solo più tardi che si era trattato di un errore in buona fede. Riesaminando i suoi ricordi, fu in grado di collegare quell'esperienza con la sfiducia negli altri che aveva nel presente.

Alice rievocò anche una seconda vita, in cui aveva avuto degli attacchi di panico da bambina, questa volta durante la guerra: era stata seppellita dai cadaveri durante un bombardamento e ciò le aveva causato sintomi di claustrofobia e di ansia. Dopo aver riportato alla luce queste esperienze, i sintomi di Alice cominciarono a svanire. La comprensione l'aveva guarita, così come aveva fatto con il musicista, Tricia e Ruth.

Individuare le radici della paura può alleviarla, e portare alla scoperta di talenti che ci provengono da altre vite.

Caryn, una giovane ragazza madre, fotografa di successo, si era rivolta a me per chiarire alcune questioni relazionali con la sua famiglia e si era sottoposta con buoni risultati alla terapia della regressione. Ma aveva anche un problema più specifico, abbastanza insolito per una donna moderna e indipendente come lei: era terrorizzata all'idea di perdersi quando guidava, cosa che le era effettivamente già capitata, tanto che a volte doveva farsi accompagnare agli appuntamenti.

Decidemmo di affrontare la sua fobia con la terapia della regressione. Sotto ipnosi, Caryn si vide come l'ufficiale di rotta di un sottomarino durante la Seconda guerra mondiale. Durante una missione si era confusa, aveva commesso un errore e fatto uscire di rotta il natante, che era finito in acque pericolose. Avvistato dai nemici, il sottomarino era stato affondato, trascinandolo sul fondo con tutto l'equipaggio.

Dopo questa seduta, il terrore di perdersi svanì immediatamente.

Col tempo, la figlia di Caryn osservò che sua madre era molto migliorata ed era diventata più affettuosa. Dopo qualche mese, ricevetti due righe da Caryn. Anche se prima della terapia non le erano mancati il successo né il lavoro, scriveva di non essersi mai sentita così «completa e piena d'amore» e di essere in pace con se stessa. Inoltre, non solo non c'era più pericolo che si perdesse, ma era arrivata a disegnare le mappe per gli altri!

Così, Caryn riuscì non solo a vincere la paura, ma anche a recuperare da una vita precedente il suo talento di «navigatrice» e a unirlo agli altri.

La regressione può dare grande gioia ai membri di famiglie adottive, dimostrando loro che, sebbene non siano biologicamente legati, e sebbene il sangue possa essere più importante dell'acqua, lo spirito è di certo ancora più importante del sangue. Ho sottoposto a regressione più di un paziente che mi ha dimostrato che i legami tra figli e genitori adottivi possono essere più forti di quelli tra gli stessi figli e i loro genitori naturali. Facendo regredire diversi membri di una famiglia adottiva, spesso si scopre che si sono già incontrati in un'altra vita.

L'esperienza mi dimostra che se un legame tra genitori e figli deve aver luogo e la soluzione fisica è impossibile, si trova un'altra via. I legami parentali tra figli e genitori non sono mai casuali. Una mia amica astrologa è giunta alle stesse conclusioni. A suo avviso, ponendo a confronto le carte natali di figli e genitori adottivi con quelle di famiglie naturali, si colgono spesso le stesse corrispondenze.

Talvolta la regressione è solo l'inizio di un cammino spirituale che comporta sia una maggior comprensione e l'acquisizione di doti particolari, sia pace, beatitudine, gioia e saggezza nei momenti più terreni e più inattesi. Come risultato secondario della terapia della regressione, molti miei pazienti si sono sentiti più attratti verso la spiritualità o la metafisica, ma non hanno affatto trascurato la loro carriera e le preesistenti relazioni. In realtà, in seguito alla maturazione spirituale, sono progrediti anche altri aspetti della loro esistenza. Molti di loro riferiscono esperienze trascendentali o eccezionali, una conoscenza più intuitiva, che li porta a migliorare il loro mondo interiore e la loro vita, e una maggiore pace, calma ed equilibrio, indipendentemente dalle circostanze.

Li capisco bene: dopo aver dato inizio alla mia crescita spirituale, che per molti versi comincia con l'esperienza di Catherine, ho avuto anch'io le mie esperienze trascendentali. Non appena ho avuto la prima, ho compreso immediatamente che tale stato è un obiettivo di per sé.

Ebbi le avvisaglie della mia prima esperienza trascendentale una settimana prima di averla effettivamente. Parecchi anni fa, dopo una giornata di lavoro di dieci ore con i pazienti, cominciai a meditare sul lettino del mio studio. Dopo qualche minuto, mentre ero sprofondato in uno stato di rilassamento privo di particolari pensieri, udii una voce possente nella mia mente. Era come una tromba telepatica e scosse tutto il mio essere.

«Amalo!» tuonò. Mi svegliai all'istante. Sapevo che il messaggio parlava di mio figlio Jordan, che, come tutti gli adolescenti, attraversava un periodo ribelle, ma quel giorno non avevo pensato a lui. Forse, inconsciamente, mi preoccupavo del suo comportamento.

Una settimana dopo, di primo mattino, stavo accompagnando a scuola Jordan in macchina. Il tempo era pessimo. Cercavo in qualche modo di fare conversazione, ma quel giorno le sue risposte non andavano oltre i monosillabi. Probabilmente non era di buon umore.

Sapevo di poter scegliere se arrabbiarmi o lasciar perdere. Mi ricordai del messaggio «Amalo!» e non lo ripresi.

«Jordan, sappi che ti voglio bene» gli dissi mentre lo facevo scendere davanti alla scuola.

Con mia grande sorpresa mi rispose: «Ti voglio bene anch'io».

Allora mi resi conto che non era né di cattivo umore né arrabbiato, ma solo insonnolito. La mia percezione della sua rabbia era un'illusione.

Proseguii per l'ospedale, dovevo guidare per altri quarantacinque minuti e, passando di fronte a una chiesa, vidi che il sole faceva capolino dalle cime degli alberi e un giardiniere falciava tranquillamente un prato.

Subito fui preso da un grande senso di pace e gioia. Mi sentii immensamente al sicuro, e il mondo mi sembrò perfetto: il giardiniere, gli alberi, tutto ciò che mi circondava era pervaso di luce e candore. Riuscivo quasi a vedere attraverso le cose: tutto aveva una strana trasparenza dorata. Mi sentii parte di tutti e di tutto: il giardiniere, gli alberi, l'erba, il cielo, uno scoiattolo arrampicato sull'albero. Timore e ansia erano scomparsi. Il futuro si stagliava nitido... perfetto.

Devo essere sembrato strano agli altri automobilisti che mi passavano accanto: quando mi tagliavano la strada, li salutavo con la mano e sorridevo. Provavo una specie di amore distaccato e universale anche per loro. Mi domandai il motivo di tanta fretta: il tempo sembrava fermarsi per poi svanire. Un senso di infinita pazienza si impossessò di me. Eravamo qui per imparare e per amare, era una cosa talmente lampante. Non conta nient'altro.

Mentre mi dirigevo verso l'ospedale, continuai ad avvertire la luminosità e la trasparenza di ciò che mi circondava, un grande senso di amore, compassione, pace, gioia, pazienza e felicità, e il legame profondo di tutte le cose.

Dopo che ebbi iniziato a lavorare, questo stato di profondo rilassamento proseguì: quel giorno ero più intuitivo con i miei pazienti, in particolare con due che erano al primo appuntamento. Potevo percepire la luce dentro e intorno alle persone: brillavano tutti. Finalmente capii che ogni aspetto della vita è strettamente intrecciato agli altri. Ero certo che il pericolo non esisteva, che la paura non era necessaria. Tutto era una cosa sola.

Tale stato durò finché non partecipai a una riunione amministrativa. Il tema dell'incontro – come aumentare le entrate dell'ospedale – mi irritava moltissimo. Potevo scegliere se andarmene e rimanere nel mio stato di «beatitudine», o restare ed esprimere francamente le mie opinioni. Partecipare e parlare di morale e di onestà significava usare le mie facoltà logico-razionali. Improvvisamente avvertii una trasformazione profonda: ero ripiombato nel mio «Io normale», analitico e «con i piedi per terra». Non riuscii più a rientrare in quel meraviglioso benessere. Per quanto mi sforzassi di ricordare, rievocare e ricreare mi era precluso.

Da allora ho avuto questo tipo di esperienza ancora cinque o sei volte e mi sorprende sempre. Non è la meditazione a ricreare tale stato assolutamente spontaneo e non forzato. È un dono, un dono della grazia.

Quando sprofondo in una sensazione d'amore, senza chiedere nulla in cambio, allora riesco ad avvicinarmi a quello stato.

Ora cerco di aiutare altri a raggiungere quella condizione di intima pace, gioia e beatitudine frutto del percorso di crescita personale che può iniziare con la terapia della regressione. È importantissimo. È per me il vero obiettivo di tutto il mio lavoro di terapeuta. È questo stato di intima pace che porta alla guarigione.

A volte è necessario, anzi consigliabile, iniziare il cammino con la terapia della regressione. A volte l'ipnosi stessa ci indica una via diversa.

Ogni tanto, persone appagate e felici si sono rivolte a me spinte dalla curiosità o dal desiderio di «fare un'esperienza». Spesso i risultati sono eccellenti, come nel caso di Martha (cfr. Capitolo VIII) che è riuscita a risolvere il dolore residuo per la morte del padre in una sola seduta, ma non sempre.

Di solito, il motivo per cui i ricordi sembrano non riemergere è che questi pazienti si sforzano troppo, compiono un atto consapevole che può bloccare la libera espressione del subconscio. Tale blocco, però, può essere superato facilmente con il rilassamento e con una maggior disponibilità a essere più ricettivi. Talvolta, invece, hanno paura di rivivere un'esperienza di morte. Ma, come ho già detto, chiarisco sempre ai miei pazienti che possono scegliere se rivivere o meno la propria morte. Quasi tutti quelli che lo fanno non lo considerano traumatico e ciò aumenta la percentuale di successo.

Ma in qualche occasione un paziente riesce a raggiungere risultati ancor più sorprendenti.

Armando, è un commercialista del New Jersey elegante, sempre vestito in modo impeccabile, affascinante, dall'intelligenza viva e pronta. Non era affetto da particolari problemi fisici o psicologici, ma desiderava disperatamente regredire a una vita passata ed era molto serio riguardo alla sua ricerca di crescita spirituale.

La personalità di Armando virava pericolosamente verso l'ossessivo-compulsivo: aveva difficoltà a rilassarsi, preferiva passare il suo tempo libero da solo o con la moglie, piuttosto che in compagnia, non era particolarmente aperto o disponibile verso gli altri, pur essendo sempre educato e corretto, e politicamente era un conservatore, un «falco» più che una «colomba». Infine aveva abbandonato i suoi studi di musica per dedicarsi, molto più concretamente, all'economia.

Durante la seconda seduta, lo feci cadere in una profonda trance ipnotica. Sperimentò uno stato vicino all'estasi, era pervaso dalla pace e dall'amore e distingueva vividamente i colori, specie il viola, una tinta sacra e divina, tradizionalmente associata alla spiritualità. Ma, nonostante ogni sforzo, non riusciva a rievocare alcuna vita precedente.

Gli diedi un'audiocassetta con un esercizio per la regressione da ascoltare da solo a casa. Lo sentì anche la moglie, che non avevo conosciuto, e rievocò nitidamente diverse scene di esistenze passate, raccontando tutto al marito invidioso che, invece, non riusciva a ricordare nulla. Nel corso della settimana di intervallo tra una seduta e l'altra, la moglie ricordava altre vite ogni volta che ascoltava il nastro e Armando no.

Nello stesso nastro consiglio di incontrare un saggio, una guida o un aiuto, di porgli delle domande e di ascoltare le risposte.

A un certo punto dalla luce viola di Armando si materializzò la sua guida: un ragazzo di diciannove anni con lunghi capelli biondi, blue-jeans e camicia a scacchi, di nome Michael. L'età, lo stile, le caratteristiche e l'abbigliamento di questo saggio non erano esattamente ciò che si sarebbe aspettato una persona formale come Armando, che infatti ne fu molto sorpreso.

Michael sorrise, mise il braccio intorno al collo di Armando e gli disse di «lasciarsi andare, rilassarsi, non essere così serio».

Ogni volta che Armando sentiva la cassetta, Michael emergeva dalla luce viola e gli parlava. Gli dava consigli spirituali, ma anche pratici, riguardo al lavoro e alla sfera personale, e inoltre gli predisse fatti che si verificarono realmente nei giorni successivi.

Ma Armando voleva a tutti i costi ritornare a una vita precedente, giungendo a sminuire, in parte, la bellezza e l'importanza degli incontri con Michael. Si presentò per la terza seduta, lamentandosi di non essere ancora riuscito a ricordare e invidiando moltissimo la moglie. Lo portai a uno stato di trance tale da potersi incontrare con Michael.

«Chieda a lui perché non è in grado di rievocare esistenze passate» gli consigliai.

Michael rispose rapidamente e in modo pertinente, come al solito.

«Ti sarà concesso di conoscere le tue vite precedenti, come premio, quando ti sarai liberato delle tue paure attuali. Non c'è nulla da temere. Hai paura della gente e non dovresti. Non ti preoccupare degli altri; sanno badare a loro stessi. Non puoi sperare che siano perfetti. Va' da loro per aiutarli, anche se inizi con uno soltanto alla volta.»

Armando non aveva alcun bisogno di conoscere le sue esistenze passate. Con il suo lavoro si deve concentrare nel presente. Un giorno, se seguirà il consiglio di Michael, potrà squarciare il velo sul suo passato. Ma sarà un premio, una ricompensa.

Non tutti hanno la necessità di ricordare le proprie vite precedenti. Non tutti sono oppressi da ferite o blocchi che pesano sul presente. Di solito ci si concentra sul presente, non sul passato. Tutto preso dal desiderio di ricordare, Armando aveva praticamente trascurato l'incredibile bellezza e importanza degli incontri con Michael.

L'esperienza di Armando dimostra anche le illimitate potenzialità e risorse del subconscio in stato ipnotico. In questa condizione rilassata e serena può accadere qualsiasi cosa. Quando sottopongo un paziente alla regressione, mi sento come una «levatrice», un assistente: è lui a controllare il proprio processo di guarigione. La mente del paziente ipnotizzato può attraversare molti tipi di alterazione: intuizioni psichiche, percezione di colori vividi, sentimenti, pensieri, soluzioni a problemi attuali e inoltre esperienze con guide e ricordi della vita presente e di quelle precedenti. Un paziente potrebbe avere esperienze che sembrano appartenere a regni completamente diversi, bellissimi e sacri.

È terapeutico vedere le risposte ai propri problemi stagliarsi in lettere d'oro su un fondo di luce viola. È terapeutico espandere la propria coscienza in questo modo, è meraviglioso e può aiutare tanto quanto una regressione.

Le potenzialità curative del subconscio sembrano illimitate se dirette da un buon consigliere o mantenute sotto il proprio controllo. Apprendo più cose sulla guarigione dai miei pazienti che non loro stessi dalle proprie esperienze. Siamo tutti maestri e allievi; siamo tutti pazienti e guaritori. Il viaggio nel tempo, all'interno della mente, dell'anima e del mondo interiore, è appannaggio di tutti.

XI
Le tecniche di regressione

Non è sempre necessario, e a volte neppure possibile, frequentare un terapeuta che si occupi di regressione. Da parte mia, raccomando sempre ai miei pazienti e a chi partecipa ai miei seminari di aumentare i risultati conseguiti durante la terapia o il lavoro di gruppo con tecniche che possono essere usate a casa. Anche voi potete adoperarle per esplorare le vostre vite precedenti e attingere a una saggezza superiore. I miei pazienti mi assicurano che i procedimenti qui descritti hanno fornito loro molti tipi di rilassamento, stimolazione e benessere.

L'*Appendice* contiene la trascrizione di un esercizio per il rilassamento e la regressione che di solito metto a disposizione dei miei pazienti come registrazione, oltre alle istruzioni su come incidere la propria cassetta personale. Tale esercizio guiderà il vostro subconscio a scoprire il ricordo più pertinente da ripercorrere, che riguardi la vostra infanzia, una vita precedente o uno stato di transizione tra due vite. Più spesso lo praticherete e maggiori saranno i risultati che otterrete.

La trascrizione riprende molto da vicino ciò che faccio durante una delle mie sedute, ma esistono altri validi sistemi per regredire e li descriverò qui di seguito. Vi consiglio di provarli tutti, per verificare quale funzioni meglio per il vostro caso specifico, e di praticarli con regolarità.

Le tecniche che vi indicherò si raggruppano in quattro categorie: diario dei sogni, meditazione e visualizzazione, tecniche di autocoscienza, tecniche di «gioco» che potete praticare da soli o con un'altra persona. Tutte vi aiuteranno a rilassarvi e a concentrarvi, permettendo al subconscio di riemergere.

Si tratta di procedimenti sicuri: se sperimentarli vi provoca angoscia, o se soffrite di sintomi seri, vi esorto a iniziare la vostra esplorazione chiedendo aiuto a uno psichiatra professionista. Non sottovalutate quello che provate, e ricordate che il subconscio è saggio: vi proporrà l'esperienza più adatta al momento e alle circostanze. Alcuni miei pazienti afflitti da problemi molto gravi hanno tratto giovamento da queste tecniche usandole da soli tra una seduta e l'altra.

In ogni caso, il processo terapeutico è molto efficace nell'integrare il ricordo di una vita passata al vostro livello di crescita. Tuttavia, se avete avuto un'esperienza e avete bisogno d'aiuto per integrarla alla vostra situazione, è bene che vi rivolgiate a uno psichiatra professionista.

Esplorate, fidatevi, giocate e soprattutto siate elastici. Lasciatevi sorprendere dalle strade che vi farà percorrere la saggezza superiore via via che attingerete ai diversi livelli della vostra psiche, del vostro corpo, del vostro mondo interiore e della vostra anima.

Primo strumento di rievocazione: i sogni

Iniziate a tenere un diario delle vostre esperienze oniriche. I sogni infatti contengono indicazioni di vite passate. Non tutti sono freudiani, pieni di simboli, distorsioni e metafore del desiderio, anzi, alcuni non sono altro che veri e propri ricordi di vite passate.

Il seguente metodo è, a mio giudizio, il migliore per tenere un diario. Appena vi svegliate, rimanete tranquillamente sdraiati, senza muovervi, e cercate di ricordare cosa avete sognato. Riesaminate il sogno mentalmente più volte, in modo da ricavarne il maggior numero possibile di dettagli.

Date un titolo al vostro sogno, per esempio «Paralizzato dal terrore e corsa senza movimento» o «Smarrito in un labirinto di un castello tedesco». Così riuscirete a identificarne l'argomento e a classificarlo per categoria e sarà più facile recuperarlo, mentre, trascrivendo tutti i particolari, eviterete di dimenticarvene subito. Tenere un diario stimola la mente a rievocare più nitidamente sogni e particolari.

Quanti più sogni riuscirete a raccogliere, tanti più indizi delle vostre vite precedenti potrete ricavarne. Per capire se un sogno contiene ricordi di una vita precedente prestate attenzione al fatto di essere vestiti nella foggia di un'epoca diversa dall'attuale o di usare strumenti e oggetti di un altro periodo storico. Se, per esempio, durante il sogno indossavate un abbigliamento del periodo della Rivoluzione americana, vivevate in un pueblo degli antichi indiani, o stavate preparando delle candele di sego, ci sono buone probabilità che siano presenti tracce di un'esistenza passata.

Non è necessario trovare subito il significato degli indizi. Buttate giù un racconto, dategli un titolo e ogni tanto ricontrollate e rivedete il vostro diario per rilevare eventuali tendenze o sogni ricorrenti.

I particolari vi sembrano casuali o legati tra loro? I dettagli di altri luoghi e tempi che si riallacciano in un contesto o in un quadro possono fornirvi indicazioni delle vite passate più importanti da ripercorrere, mentre quelli più casuali possono essere appunto casuali, oppure potrebbero rivelarsi frammenti di ricordi non ancora classificati.

Se desiderate esplorare più a fondo un particolare o un argomento relativo a una vita precedente, usate la meditazione. Concentrate la mente come per un'autoregressione. Visualizzate la scena, l'immagine o il frammento e lasciate che si espanda e acquisti nuovi dettagli. Cercate di non inibire mentalmente le vostre impressioni, non censuratele. Un ricordo abbastanza accurato di una vita precedente potrebbe emergere dopo aver meditato una sola volta, dopo molte, o non comparire affatto. È un andamento piuttosto normale. All'inizio è probabile che otteniate una serie di ricordi frammentari che sembrano completamente slegati tra loro. Con l'esercizio diventerete più abili.

Talvolta chiedo a un paziente di impersonare uno per uno tutti i personaggi del suo sogno. Potete adattare questa tecnica per adoperarla da soli. Se, per esempio, in un sogno che potrebbe riferirsi a una vita precedente vivete in una famiglia che non è la vostra, recitate il ruolo del padre, della madre, della sorella minore, del fidanzato, ecc. Quali impressioni ne ricavate?

Spesso, usando l'intuizione e l'immaginazione per recitare parti diverse, si riesce a fare più chiarezza sul significato del sogno e soprattutto si impara di più sulle motivazioni di ciascun personaggio. Nei sogni su vite passate, o anche lavorando sul materiale ricavato dalla regressione, il fatto di impersonare tutti i ruoli può far scoprire delle grandi affinità con uno di essi in particolare.

Se vi identificate già in un personaggio, questo procedimento vi permetterà di partecipare emotivamente alle motivazioni degli altri. Potreste persino riconoscere in qualcuno una persona che conoscete in questa vita. Potreste per esempio dire: «Sembra proprio mio padre».

Ricorrendo alla tecnica dei ruoli per interpretare i vostri sogni più tipici, potrete scoprire gli elementi ricorrenti che si riflettono sulla vostra vita.

Secondo strumento di rievocazione: meditazione e visualizzazione

Vi consiglio caldamente di praticare la meditazione, un metodo fondamentale per prendere coscienza di ricordi di vite passate. La meditazione libera la mente e, quando la mente è sgombra, illuminazioni, percezioni e, forse, ricordi di esistenze precedenti emergono spontaneamente.

Raccomando la meditazione anche per altri effetti positivi. Come il diario dei sogni, la meditazione è una tecnica che rafforza l'autocoscienza, utile in molti aspetti della vita. In più insegna la calma e la gioia, mostra come concentrarsi sul presente, senza preoccuparsi del futuro né rimuginare sul passato, spiega come controllare la mente e le emozioni invece di lasciarsi sopraffare da loro.

Praticare la meditazione è molto più facile e semplice di quanto si creda. È l'ansia del principiante, quella di non riuscire a fare ogni cosa correttamente, nel modo giusto, a creare le maggiori difficoltà. Non esiste un modo «giusto» per meditare. Quando siete rilassati, quando la vostra mente è serena e lucida, quando non siete presi dai vostri pensieri, state meditando. Potete sedere sul pavimento con le gambe incrociate e la schiena dritta, oppure su una sedia, o sdraiarvi per terra, o in qualsiasi altra posizione per voi comoda: la mente lucida, osservatrice e serena è una mente in meditazione.

La meditazione è caratterizzata da una coscienza attiva, da uno stato di grande ricettività, da una consapevolezza intuitiva che travalica le barriere tra osservatore e oggetto osservato. Tale condizione offre grandi intuizioni e rivelazioni. La meditazione richiede pratica e pazienza, ma l'atto stesso di meditare crea altra pazienza.

Come psichiatra, so quanto sia difficile rasserenare la mente. La nostra coscienza è continuamente bombardata da pensieri di ogni sorta. Di solito non siamo consapevoli di tali pensieri né del fatto che pensare, visualizzare e sognare a occhi aperti avvenga costantemente. Durante i miei seminari domando ai partecipanti di chiudere gli occhi e di non pensare a nulla per trenta secondi, di essere come una lavagna vuota.

Pochissimi ci riescono. Al termine dei trenta secondi, chiedo loro di dirmi se hanno formulato qualche pensiero e quale. «Perché ci chiede di fare una cosa del genere?» «Che stupidaggine» «Mi fa male la schiena» «Chissà se ho lasciato le luci della macchina accese» «Come vorrei che la smettesse di tossire». Ecco alcuni esempi del continuo chiacchiericcio interno che inonda la mente. Provate e vedrete.

Per la meditazione trovate un luogo silenzioso e tranquillo, rilassatevi e cercate di far tacere la vostra mente. Concentratevi sulla respirazione. Respirate lentamente e senza sforzo, finché non raggiungerete un ritmo calmo e regolare. Prendete coscienza dei vostri pensieri e lasciateli andare lentamente. Non giudicatevi. Non fatevi prendere dalla frustrazione o dall'impazienza. Osservate i vostri pensieri mentre passano.

Così facendo, imparerete molto di voi stessi e, mettendo in pratica le tecniche esposte in questo capitolo e nell'*Appendice*, potrete attingere ai ricordi di una vita passata. Con il tempo, la meditazione può aumentare i successi raggiunti con altre tecniche di regressione.

Alcuni preferiscono meditare concentrandosi su una parola, un numero o un oggetto: ancora una volta, non importa il procedimento specifico. Rilassandovi mentalmente e fisicamente, l'attività elettrica cerebrale rallenta e voi entrate in uno stato alfa o anche theta, caratterizzati da un ritmo di attività delle onde cerebrali molto inferiore a quello dello stato di veglia, o stato beta.

Quando vi trovate in tali stati di rilassamento, in realtà state meditando, ritemprando le forze, e ringiovanendo. Come tecnica di meditazione, alcuni preferiscono visualizzare, cioè immaginare qualcosa con gli occhi della mente. È un processo molto simile al sogno a occhi aperti. Comunque, confrontando l'attività cerebrale di persone che stanno meditando e di persone che stanno visualizzando, si riscontrano gli stessi stati alfa e theta. Chi visualizza usa la meditazione in maniera più guidata.

La visualizzazione può diventare uno strumento di guarigione potente per rafforzare le difese immunitarie, accelerare i meccanismi omeostatici naturali ed eliminare diverse malattie. Può essere usata per ottimizzare le prestazioni fisiche, come forma di preghiera e anche per raggiungere uno stato trascendentale.

Per ripercorrere una vita precedente attraverso la meditazione, visualizzatevi in un tempo diverso e lasciate che le immagini scorrano verso il vostro Io cosciente: ciò che emerge proviene dalla vostra mente profonda, dal subconscio. Non analizzate le visioni, lasciate che sgorghino e fluiscano liberamente come se voi foste degli osservatori esterni agli eventi o alle scene a cui assistete. Usate la vostra immaginazione. Al termine, descrivete la vostra esperienza in un diario, magari in quello dei sogni, ma in una sezione separata. Cercate significati ed elementi ricorrenti come avete fatto per i sogni.

Terzo strumento di rievocazione: l'autosservazione

La vostra vita e la vostra condizione presente spesso contengono indizi di un'esistenza precedente. Quindi quando vi sentite rilassati e avete del tempo a disposizione, provate l'autoanalisi. Da un punto di vista distaccato, acritico e oggettivo prendete in esame le vostre doti e capacità e riflettete: da dove vengono? Li ho ereditati dai miei genitori, o sono connessi a una vita passata?

Un classico esempio di un talento che probabilmente era il retaggio di un'esistenza precedente è quello di Mozart, che già a cinque anni era in grado di comporre sinfonie. Si potrebbe pensare facilmente che Mozart fosse già stato un compositore e che avesse affinato in una vita precedete le doti che sono poi riemerse in quella che conosciamo.

Il fatto di essere «portati» per le lingue o di avere affinità con una cultura più che con un'altra potrebbe avere origine in una vita precedente. Durante uno dei miei seminari, per esempio, ho conosciuto un anglosassone, dell'Oklahoma, che trascorreva tutte le sue vacanze in Giamaica, amava il popolo e la cultura di quell'isola e la comprendeva quanto un nativo. In più, quando arrivò lì per la prima volta, si sentì immediatamente «a casa». Anche voi potete usare le vostre doti come un grimaldello per accedere alle vostre vite precedenti attraverso la regressione o la visualizzazione.

Tracce di esperienze negative vissute possono riemergere in questa vita sotto forma di fobie. Passate in rassegna la vostra vita: prendete coscienza delle vostre paure. Chiedetevi: da dove viene questo timore? Perché? È accaduto qualcosa durante la mia infanzia per spiegarlo? L'ho sempre avuto?

Se non riuscite a trovare un'origine alle vostre paure e vi rendete conto di averne sempre sofferto, mettetevi a «giocare», a sognare, a visualizzare: potreste risalire a un'esistenza precedente.

Va sottolineato che, affinché questo esercizio, come gli altri, porti i suoi frutti, dovete mantenere un atteggiamento acritico e senza pregiudizi. Se per esempio affrontate la paura dell'acqua con un «Beh, ho solo paura dell'acqua, sono un fifone e questo spiega tutto» non collegherete mai il vostro timore di annegare a una vita passata.

Se alcuni possono provare un'affinità con culture diverse, altri sono respinti da determinati paesi. Una casalinga, madre di tre figli, ricordò di aver avuto un grave attacco di panico quando, in viaggio di nozze, atterrò all'aeroporto di Atene. Insistette tanto che convinse il marito a lasciare subito la Grecia. Si recarono a Roma e quindi a Parigi senza che si ripresentasse il problema e il viaggio continuò benissimo.

Anni dopo, durante una seduta di regressione, la donna

rievocò una vita precedente in Grecia in cui era stata gettata da una rupe a causa delle sue convinzioni. I detrattori potrebbero sostenere che il panico di cui soffrì atterrando in Grecia derivasse dalle sue paure represse riguardo al matrimonio. Ma la completa scomparsa dei sintomi all'arrivo in un altro paese confuta le loro argomentazioni.

Altri ancora scoprono indizi di vite precedenti dopo esperienze di déjà vu. Avete mai avuto la strana sensazione di «essere già stati lì» quando visitate una località? Dopo un mio seminario, una coppia di cinquantenni mi raccontò di un recente viaggio in Italia. Era la prima volta che ci andavano, e nessuno dei due parlava o capiva la lingua. La coppia noleggiò un'auto e perse la strada mentre stava viaggiando nell'Italia settentrionale. Dato che scendeva la sera, preoccupandosi sempre più, si fermarono in un paesino.

La signora fu improvvisamente assalita da una sensazione di déjà vu: la cittadina le sembrava stranamente familiare. Il marito descrisse lo sguardo vitreo che calò sugli occhi della moglie in quel momento. Rimase sbalordito quando lei cominciò a parlare in italiano alla gente del posto, che dava per scontato che conoscesse la lingua. In realtà non aveva mai studiato o parlato una sola parola di italiano in tutta la sua vita. Non in questa, almeno.

Vi siete mai trovati in un sogno a occhi aperti in un luogo diverso, in un altro tempo, in un altro corpo? Potrebbe non essere un sogno a occhi aperti. Sono spesso i bambini ad avere esperienze del genere, ma non sono rare neppure fra gli adulti.

Non avete mai provato un'attrazione particolare, inspiegabile per una persona o un istintivo disprezzo per un'altra? Forse vi siete già incontrati in un'altra vita.

Osservate le vostre preferenze, il vostro abbigliamento e le vostre abitudini. Quali sono i tratti dominanti della vostra personalità? Guardatevi intorno in casa. Quali stili prevalgono nell'arredamento? Mentre lo fate, è importante che manteniate la mente aperta e distaccata. Una mia paziente non riusciva a trovare un filo logico nelle sue collezioni. Negava di avere attrazione o affinità per un particolare stile o periodo. Fu l'amico che l'aveva accompagnata da me a farle notare che la sua casa era piena di oggetti d'arte giapponese del XIX secolo! Quindi rilassatevi e non rifiutatevi di vedere ciò che potreste avere intorno.

Non preoccupatevi che tali informazioni siano più o meno «vere». È la vostra mente a far emergere questo materiale e l'esercizio avrà lo stesso effetto di un sogno: stimolerà cioè la vostra mente a rendere sempre più valido il materiale relativo a una vita precedente. Il vostro scopo iniziale è quello di lasciare aperte delle porte e di tracciare delle vie. Solo più tardi, con l'esperienza, potrete permettervi di essere più analitici. Quando accadrà lo capirete subito.

Quarto strumento di rievocazione: tecniche di «gioco»

La libera associazione con parole e frasi emotivamente connotate potrebbe aiutarvi ad accedere a una vita precedente. Esistono termini universali che trascendono la vita e le culture: sono dei punti fissi in tutte le epoche. Ne diamo qui un elenco, parziale, ricavato da *Discovering Your Past Lives* di Gloria Chadwick. Non abbiate timore di aggiungerne altri.

Quando siete rilassati, chiudete gli occhi e pensate o dite una di queste parole. Osservate quindi le immagini mentali, le scene e le emozioni che emergono. Oppure, registratele su un nastro e riascoltatelo. Fate con calma, soffermatevi su ogni parola mentre si materializzano nella vostra mente scene ed emozioni.

Guerra	Impiccagione	Dolore
Pace	Esecuzione	Musica
Deserto	Fame	Graduato
Soldati in marcia	Carestia	Cavallo
Chiesa	Schiavo	Animale
Lancia	Re	Alluvione
Oceano	Libro	Veleno
Montagne	Scrivere a penna	Guaritore
Navi	Cielo notturno	Sciamano
Fucile	Stelle	Corpo
Coltelli	Caverna	Funerale
Folla	Tramonto	Nascita

Scrivete quindi le immagini nel vostro diario e usatele in seguito per cercare temi o elementi ricorrenti relativi a vite passate, oppure adoperatele come spunto per le vostre sedute di regressione e di visualizzazione. Se, per esempio, in una libera associazione con la parola soldato vi siete visti marciare durante la Guerra civile americana, riportate la scena nel diario e meditate su di essa il giorno dopo, la settimana dopo o anche mesi dopo: vi aiuterà a prendere l'esercizio con leggerezza e spirito giocoso.

Detto per inciso, i ricordi di esistenze precedenti nel periodo della Guerra civile americana sono molto diffusi e molti hanno esperienze di déjà vu visitando cimiteri o siti di battaglie.

La tecnica che chiamo «Visi» è un altro metodo di «gioco» per rievocare vite passate. Sedete di fronte a un amico a qualche metro di distanza, con le luci soffuse e una musica tranquilla di sottofondo. Fissate il viso del vostro amico e controllate se i tratti del suo volto cambiano. Nel caso descrivete i mutamenti. Spesso i lineamenti sembrano trasformarsi: occhi, naso e taglio di capelli si stemperano e si ricompongono. Talvolta compaiono anche delle parrucche.

Potete anche esercitarvi da soli usando uno specchio e osservando i cambiamenti del vostro viso.

Se notate una luce bianca irradiarsi dalla testa del vostro amico o della vostra immagine riflessa, potrebbe essere una manifestazione del campo di energia che si estende oltre i confini fisici del corpo. Molti dicono di aver visto quest'«aura» talvolta colorata. Parecchi miei pazienti hanno dichiarato, indipendentemente l'uno dall'altro, di aver visto gli stessi colori nell'aura di un'altra persona. Quando facevo loro osservare o «leggere» il campo di energia di qualcuno, le loro descrizioni corrispondevano.

Ho sperimentato questo esercizio con numerosi pazienti: tutti sono stati in grado di rilevare dei mutamenti nelle fattezze, nel colore della pelle, nei capelli, negli occhi e così via. Tuttavia mi preoccupavo che un approccio così immediato potesse sembrare stupido o frutto di una distorsione della percezione ed ero restio a introdurlo nei miei seminari come esercizio. Infine, nel corso di un seminario veramente stimolante con un gruppo molto affiatato di molte centinaia di persone, decisi di fare il gran salto.

Oltre duecento partecipanti divisi in coppie sedettero l'uno di fronte all'altro a fissarsi con le luci abbassate nel salone di un hotel. Dopo un certo tempo, venne loro detto di trovare un altro compagno e di ritentare l'esercizio. I risultati stupirono tutti. La maggioranza aveva notato dei cambiamenti nei lineamenti del proprio compagno, che assumeva tratti completamente diversi. Alcuni ebbero delle esperienze psichiche: videro volti che scoprirono poi assomigliare a quelli di parenti defunti del loro compagno. Altri osservarono fattezze che ricordavano le loro guide spirituali. Altri ancora scorsero facce che i loro compagni conoscevano solamente attraverso la regressione o che dei medium avevano descritto loro.

Quando decidemmo il cambio di coppia, spesso il nuovo compagno percepiva gli stessi tratti nel viso della nuova persona. Molti videro per la prima volta un'aura. Un quattordicenne ricevette psichicamente delle informazioni sul suo compagno. Non gli era mai successo prima. Da allora includo «Visi» nei miei seminari. I risultati sono sempre straordinari e il divertimento non manca. Il segreto di «Visi» consiste nel tenere sempre le luci abbassate, in modo che l'emisfero sinistro del cervello non abbia più il controllo e si faciliti il passaggio delle impressioni intuitive.

«Visi» può fornire parecchi indizi su eventuali vite passate. Come negli altri metodi (meditazione, visualizzazione e/o libera associazione), anche qui i cambiamenti possono contribuire a «sostanziare» i ricordi. Lasciate che si espandano e sviluppino, senza censurarli: un volto può diventare una serie di volti, da un volto si può dispiegare un'intera scena. Potreste udire una voce, una parola, una frase. Provare per credere.

Far visita a un medium serio, che possa anche interpretare le vite passate, è un'altra possibilità interessante per rievocarle. Il medium potrebbe fornirvi innumerevoli spunti preziosi, le sue parole potrebbero far risuonare qualcosa nel vostro intimo, potrebbero far riemergere dei ricordi. L'interpretazione di un medium non è emotivamente connotata come una seduta di regressione, quando è la vostra «banca dei ricordi» a essere coinvolta e sono le vostre immagini e i vostri sentimenti a inondarvi la coscienza. Non si può quindi parlare di un cambiamento terapeutico, ma una seduta con un buon medium potrebbe rivelarsi un'esperienza positiva e fornire spunti stimolanti per l'esplorazione del vostro passato.

Beatrice Rich, una nota medium che opera tra New York e Miami, mi raccontò di un cliente, un dirigente d'azienda, che non desiderava solo un'interpretazione medianica, ma anche la lettura di una vita passata. Utilizzando la psicometria, cioè la capacità di ricevere impressioni psichiche dal contatto fisico con un oggetto di un'altra persona, Beatrice osservò il corpo del cliente trasformarsi e le sue braccia diventare scure, robuste e muscolose. Lo vide come un soldato e un abile arciere. A sua insaputa, l'uomo, che viveva a New York, aveva una passione: il tiro con l'arco. Beatrice aveva indovinato il suo interesse telepaticamente? Stava forse leggendogli nel pensiero ed elaborando uno scenario? O stava assistendo alla scena di una delle sue vite passate che aveva dei legami con la presente?

Mentre Beatrice era con una cliente, le sembrò di non riuscire a mettere a fuoco la stanza e di vedere la donna trasformata in una signora turca che vendeva braccialetti e bigiotteria in un bazar centinaia di anni fa. Più tardi la cliente si levò la giacca e si arrotolò le maniche della camicetta rivelando numerosi braccialetti. Entrambe si misero a ridere. La visione di Beatrice era solo una premonizione medianica del guardaroba della donna? O era una scena da una vita precedente? Non lo sapeva.

In un'altra occasione, Beatrice osservò la trasformazione continua di una sua cliente da hawaiana, ad antica nordeuropea e di nuovo al suo corpo attuale, e il ciclo poi riprendeva. La donna aveva trascorso spesso le sue vacanze alle Hawaii e in Scandinavia.

Un fatto analogo capitò con un altro cliente, uno studente universitario: lo vedeva come un primitivo in una civiltà antica di migliaia d'anni. Descrisse lo strumento a forma di cucchiaio con cui lanciava frecce o dardi rudimentali, le capanne assiepate lungo la riva del fiume e le feroci tribù guerriere che vivevano a monte. Il professore di archeologia dello studente sosteneva che un oggetto del genere non fosse mai esistito, ma il giovane riuscì a trovarne una foto in un libro di testo. Beatrice non l'aveva mai visto prima di quell'esperienza medianica.

Un altro modo per rievocare vite precedenti è quello di lavorare sul corpo. Alcuni ricordi sembrano essere connessi con aree particolari del corpo, una specie di memoria cellulare. Molti, durante sedute di massaggio shiatsu, chinesiologia, riflessologia e altri metodi per stimolare tali aree, rivivono scene di esistenze passate. Chi, per esempio, in una vita precedente sia stato ferito alla schiena da una lancia potrebbe rivivere questo trauma attraverso un energico massaggio in quel punto preciso. Naturalmente la zona sensibile può trovarsi in qualsiasi parte del corpo, e spesso è nei piedi o nel polpaccio.

L'esperienza, descritta in un capitolo precedente, che ebbi durante un massaggio shiatsu è un buon esempio di tale fenomeno: mentre il terapeuta mi stava massaggiando il piede e io ero profondamente rilassato, mi balenò alla mente una scena nitida in cui ero un sacerdote nell'antico Medio Oriente.

Se avete ricordi del genere, anche frammentari, annotateli nel vostro diario. Potreste scoprire in seguito che fanno parte di un quadro più ampio, oppure potreste elaborarli con l'aiuto dei procedimenti esaminati fin qui.

Un'ultima considerazione. Non sorprendetevi se queste tecniche o gli esercizi per la regressione esposti nell'*Appendice* vi portano in un luogo che non è un'esistenza passata. Quando faccio regredire i miei pazienti, non so mai dove ci porterà la loro saggezza. Spesso la destinazione è una vita precedente, o una serie di vite, ma talvolta è l'infanzia, un giardino miracoloso, un luogo mistico pieno di luce che sembra esistere tra una vita e l'altra. In ogni caso, sarà la vostra saggezza inconscia a decidere e a guidarvi nel luogo migliore; qualche volta durante la regressione di un paziente mi sento solo un compagno di viaggio.

Utilizzando questi procedimenti potreste visitare nuovi paesi e rivivere nuove esperienze, luoghi ed episodi di cui non ho fatto menzione qui e dove non sono mai stato. Lasciatevi sorprendere da un avvenimento inaspettato: spesso sono loro a dare i frutti migliori.

Invece di rievocare una vita precedente, potreste trovarvi in un luogo dove leggerete dei testi mistici, come Beth nel Capitolo IX, incontrare una persona cara che vi dà un consiglio, come il padre di Betsy nel Capitolo V, oppure capitare in un'altra realtà, in un'altra dimensione, oltre i tradizionali punti di riferimento spazio-temporali.

Lasciate che la vostra crescita imbocchi un cammino intuitivo, non rettilineo: finché partecipate allo spirito del gioco e non avete pregiudizi verso le vostre sensazioni, il percorso spirituale è assicurato.

Ricordate: se mai vi imbatteste in qualcosa che vi turba profondamente, potrete sempre risolverlo con l'aiuto di uno psichiatra. Comunque, di solito non si ricordano episodi dell'infanzia, di una vita precedente o di altro con ansie e disagi particolari. Ho sottoposto a regressione parecchie persone in gruppo e non ho mai avuto problemi. È impossibile rimanere «bloccati» nei luoghi che visitate: potete sempre decidere di aprire gli occhi o di vedere la scena dall'alto. La scelta è sempre aperta. È il vostro subconscio a tenere le redini: non permetterà che accada nulla di cui non riuscite ad avere il controllo.

Infine queste tecniche per ricordare vite precedenti, o almeno per prendere coscienza degli indizi e dei segnali lungo la strada, non sono certo le uniche. Sono state condotte delle ricerche su rievocazioni di esistenze passate sotto stimolazione elettrica di determinate aree del cervello, sotto l'effetto di droghe, in stato di alterazione mentale, al risveglio dal coma, durante esperienze di premorte ed extracorporee, e in molti altri modi. Tali studi provocano sempre più entusiasmo. Quando ci si rende conto di quanto si sia più grandi del piccolo Io confinato in questa esistenza ci si lascia prendere da un senso di ebbrezza. Il vero Io, l'Io immortale, è quello che trasmigra da un corpo all'altro, da una vita all'altra. Ed è meraviglioso incontrarlo!

Appendice

Come preparare il vostro nastro per il rilassamento e la regressione

Qui di seguito troverete la trascrizione del nastro con gli esercizi di rilassamento e regressione da praticare a casa che metto a disposizione dei miei pazienti e dei partecipanti ai miei seminari. Alcuni di loro, i cui casi sono riportati nel libro, hanno praticato gli esercizi con ottimi risultati.

Potete utilizzare la registrazione per regredire o per rilassarvi, diventare più sereni e attingere alla vostra personale saggezza.

Vi ricordo ancora una volta che potreste ottenere subito una regressione nitida e completa, sperimentare il flusso di momenti chiave, ricordare solo frammenti e immagini di vite precedenti, o anche trovarvi nello stato di transizione tra due vite. Potreste visitare un giardino, un tempio, o un altro luogo spirituale, oppure, più semplicemente, essere pervasi da un senso di grande pace e benessere. Non forzate nulla: ogni cosa avviene al momento più appropriato. Lasciatevi sorprendere dall'inatteso, se dovesse accadere. E tenete sempre presente che più fate pratica, maggiori saranno i frutti che raccoglierete.

Il nastro non funziona per tutti allo stesso modo: alcuni dovranno riascoltarlo più volte per vedere qualche effetto. Se non avete nessuna reazione, non significa che non potete regredire, può voler dire soltanto che siete soggetti «refrattari», che hanno bisogno dell'aiuto personalizzato di uno psichiatra professionista.

La trascrizione è solo una guida, un esempio: registratela e usatela solamente se vi sentite pronti a rievocare memorie del passato, che potrebbero anche farvi sentire a disagio. Se vi preoccupano gli effetti di un ricordo traumatico, lasciate perdere, oppure adoperate solo la parte relativa al rilassamento, già di per sé molto utile.

Come ho già detto, il rischio di reazioni inattese è minimo: la maggior parte dei soggetti affronta e integra i ricordi di vite passate senza difficoltà. Fate attenzione, questa è una tecnica molto potente: se preparate una cassetta e la usate da soli, c'è comunque il rischio di effetti indesiderati come ansia o senso di colpa. Nel caso, rivolgetevi a uno psichiatra che risolverà qualsiasi problema.

Quando registrate il nastro, leggete con un tono di voce calmo e lento, facendo una pausa breve quando vedete il segno (...), e una più lunga quando incontrate le istruzioni tra parentesi quadre.* Prima di accendere il registratore, rileggete il testo più volte per trovare un ritmo che sia adatto a voi e vi lasci modo di rispondere alle istruzioni.

Non correte: non esiste un tempo fisso per questo esercizio.

Ascoltate la registrazione in un luogo calmo e silenzioso dove potete rilassarvi e sapete di non essere disturbati.

Non ascoltate questo nastro mentre state guidando.

Prima di cominciare, sdraiatevi sul letto, oppure sedetevi in una poltrona e mettetevi a vostro agio. Accertatevi di non essere interrotti. Toglietevi scarpe, occhiali e lenti a contatto. Lasciatevi sprofondare nel rilassamento più totale. Non incrociate le gambe. Se volete, potete ascoltare della musica tranquilla di sottofondo.

In alternativa, potete farvi leggere il testo da un amico.

Testo per il rilassamento e la regressione

Chiudete gli occhi.

Ora concentratevi sulla respirazione, che deve essere profonda e regolare, dal basso verso l'alto.

Fate cinque respiri profondi e rilassanti, inspirando con il naso ed espirando dalla bocca ... rilassatevi [fate una lunga pausa per i cinque respiri].

Con ogni espirazione eliminate dolori, pene e tensioni accumulati nel vostro organismo.

Con ogni inspirazione assorbite la calma energia che vi circonda. Approfondite il rilassamento.

Ora visualizzate, immaginate o sentite tutti i vostri muscoli mentre si rilassano completamente.

Rilassate i muscoli della fronte e del viso ...

Rilassate i muscoli della mandibola ...

Rilassate i muscoli del collo e delle spalle. Moltissima tensione si accumula in queste zone.

Rilassate le braccia ...

Rilassate le gambe ...

Rilassate i muscoli della schiena ...

E rilassate completamente i muscoli dello stomaco per permettere alla respirazione di essere regolare e profonda.

Con ogni respiro cercate di approfondire il livello del vostro rilassamento.

Visualizzate, immaginate o sentite una luce luminosa sopra il capo, dentro il capo. Lasciate che sia la vostra mente a sceglierne il colore [pausa].

Qualsiasi cosa raggiunga questa bellissima luce, via via che scende lungo tutto il vostro corpo, ogni tessuto, organo e muscolo, ogni fibra e cellula si rilasserà completamente, facendo scomparire pene, dolori e malattie.

E la luce approfondirà sempre più il livello del vostro rilassamento.

Vi pervade ora un grande senso di pace e tranquillità.

Ora vedete, sentite o immaginate che la luce si allarghi dal sommo del capo ... scenda oltre la fronte ... dietro gli occhi ... facendovi rilassare ulteriormente.

Vedete, sentite o immaginate la luce investirvi la mandibola ... il cuoio capelluto ... accrescere il rilassamento.

Ora la luce scende lungo il collo, rilassando completamente i muscoli del collo e della gola, rilassando ogni fibra muscolare.

Il vostro rilassamento aumenta [pausa].

Visualizzate, immaginate o sentite la luce, che rilassa e guarisce ogni muscolo, ogni nervo e ogni cellula del vostro corpo, mentre scende sulle vostre spalle ...

E poi lungo le braccia, giù fino alle mani e alle dita [pausa].

Visualizzate, sentite o immaginate la luce mentre scorre lungo la schiena ... il torace ... e dentro il vostro cuore, che pompa la luce in ogni vaso sanguigno del vostro corpo ...
Nei vostri polmoni, che splendono di luce meravigliosa ...
I muscoli delle spalle sono completamente rilassati.
Ora la luce scende lungo la colonna vertebrale, si irradia seguendo il vostro sistema nervoso, dal cervello al coccige, raggiungendo ogni muscolo e cellula del vostro corpo.
Siete profondamente calmi e rilassati.
Sentite una tranquillità profonda, un meraviglioso senso di pace [pausa].

Ora vedete, immaginate o sentite la luce mentre si estende all'addome ... alla parte inferiore del dorso, rilassando completamente muscoli e nervi ...
Ora scorre lungo i fianchi ...
Scende lungo le gambe, giù fino ai piedi e alle dita dei piedi ... ora il vostro corpo è pervaso ... immerso ... in questa meravigliosa luce.
Vi sentite molto, molto tranquilli.

Ora visualizzate, immaginate o sentite la luce mentre avvolge completamente il vostro corpo, come se vi trovaste in un bozzolo o in un alone di luce. Vi protegge e rilassa la vostra pelle e i muscoli esterni ...
Vi sentite sempre più rilassati, calmi e sereni.

Adesso conterò all'indietro da cinque a uno. A ogni numero vi sentirete sempre più calmi e tranquilli e il livello del rilassamento diventerà sempre più intenso finché, quando arriverò a uno, sarete in uno stato di profondo rilassamento, la vostra mente non più costretta dai confini dello spazio e del tempo.
Ora potete ricordare ogni cosa.

Cinque ...
Quattro, sempre più rilassati e sereni ...
Tre, rilassatevi ancora, profondamente ...
Due, ecco ci siamo quasi ...
Uno ...

* Le istruzioni tra parentesi quadre vanno lette mentalmente.

Siete ora in uno stato di profondo rilassamento, ma, se vi sentite a disagio, non abbiate paura: avete il completo controllo della situazione. Qui finisce la parte dedicata al rilassamento e potete decidere di non procedere con la regressione semplicemente aprendo gli occhi. Tornerete immediatamente al vostro stato normale, in pieno possesso delle vostre facoltà fisiche e mentali, sentendovi meravigliosamente bene, rilassati e rinvigoriti.

Se scegliete di proseguire, visualizzate, immaginate o sentite voi stessi mentre scendete lentamente una bellissima scalinata [pausa].

In fondo c'è una porta, che ha dietro una bellissima luce.

Siete completamente rilassati e pervasi da una grande pace.

Varcate la porta, sapendo che la vostra mente non è più costretta dallo spazio e dal tempo e che potete ricordare tutto ciò che vi è accaduto.

Quando passerete dalla porta alla luce, sarete in un altro tempo.

Lasciate che il vostro subconscio scelga il tempo, da questa vita o da una precedente.

Potrete ritornare al tempo da cui ha avuto origine un problema, una sensazione o una legame contrastato, lì affonda le sue radici [lunga pausa].

Emergendo dalla luce osservatevi i piedi. Notate che tipo di calzature portate, se scarpe o sandali o niente...

Quindi osservate il vostro corpo ...

Osservate i vostri abiti ...

Osservatevi le mani ...

Come sono ...

È giorno o notte ...

Siete all'aperto o al chiuso ...

Sapete la data o riuscite a scoprirla [pausa].

Guardatevi intorno, osservate il paesaggio, l'architettura, le piante e gli alberi. Se ci sono persone intorno a voi, rivolgete loro la parola e ascoltatene le parole.

Trovate le risposte ai vostri interrogativi, ai vostri sintomi [lunga pausa].

Passate più tempo a esplorare questo periodo.

Potete andare avanti o indietro nel tempo se lo volete ...

Se vi sentite angosciati, fluttuate sopra il vostro corpo, osservando senza partecipare attivamente ed emotivamente.
Oppure aprite gli occhi e terminate l'esercizio, se volete.

Analizzate ogni episodio significativo e capite, dalla vostra prospettiva più ampia, perché sia avvenuto e che cosa significhi realmente.
Ora potete capirlo [lunga pausa].

Verificate se persone di quella vita sono con voi nella vostra attuale esistenza [lunga pausa].

Se desiderate, andate alla fine di quella vita e rivivete la vostra morte [lunga pausa].

Fluttuate sopra il vostro corpo, e passate in rassegna la vostra vita. Quali lezioni dovete imparare? [lunga pausa]

È ora di ritornare.
Ora conterò da uno a cinque. Al cinque, aprirete gli occhi e sarete ben svegli, vigili e rinvigoriti e vi sentirete benissimo. Ritornerete in possesso di tutte le vostre facoltà fisiche e mentali. Ricorderete ogni cosa. Ogni volta che farete questo esercizio, scoprirete di potervi rilassare sempre più profondamente.

Uno: Ogni muscolo e nervo del vostro corpo è completamente rilassato.
Due: Vi svegliate gradualmente, vi sentite benissimo
Tre: Sempre più svegli e vigili.
Quattro: Quasi svegli, vi sentite magnificamente.
Cinque: Aprite gli occhi, siete completamente svegli e vigili, vi sentite splendidamente in forma.

Ringraziamenti

Desidero esprimere la mia stima a Fred Hills, Barbara Guess e Bob Bender, ottimi redattori della Simon & Schuster, che, con la loro competenza e il loro incoraggiamento, mi hanno molto aiutato nella pubblicazione di questo libro.

Ringrazio anche sentitamente la mia collaboratrice Deborah Bergman, che ha abilmente sistemato e migliorato la struttura della prima stesura del testo.

Inoltre vorrei ringraziare di tutto cuore Lois de la Haba, mio agente letterario, che è diventato anche un amico.

Infine, la mia più profonda gratitudine va a tutti i miei pazienti, per i loro insegnamenti sulla vita e sull'amore.

Indice analitico